Camino to Remember
Book - 길을 걸으면 내가 보인다
http://withdream.co.kr
burana@hanmail.net
Nickname : CARMINA 까르미나
Peregrino
Buen Camino

감사합니다

Buen Camino

산티아고 까미노 파라다이스

산티아고 완주의 기쁨과 영광을,

내게 용기를 북돋아주고 매일 매일 기도와 염려를 아끼지 않았던

아내와 아들과 딸, 형제들과

한 달 동안 고생하며 걸었던 많은 산티아고 친구들

아울러 관심을 가져 준 길벗들과 카페 친구들에게 돌립니다.

또한 내게 건강과 안전, 기쁨, 감사, 찬양, 희망

그리고 축복의 은혜를 주신 하나님께 영광을 드립니다.

산티아고 까미노 파라다이스

도서출판 더클

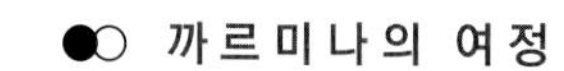
까르미나의 여정

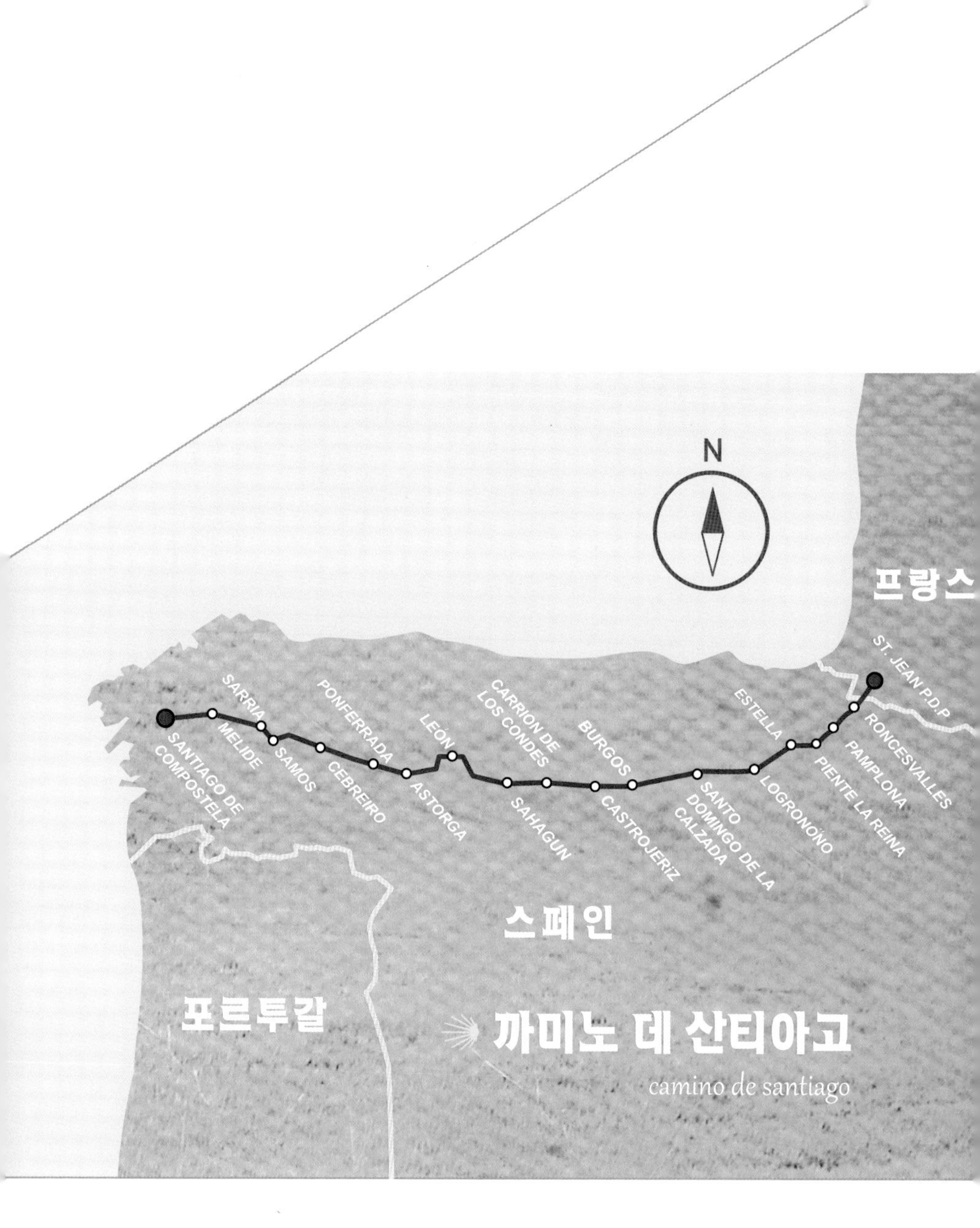

- 여행 시기 2016년 04월 18일 ~ 2016년 05월 19일

- 출발, 도착지 Saint Jean Pied de Port → Santiago de Compostela

800 Km

목 차

순례길을 시작하기에 앞서, 파리에서 독일 유학 중인 딸을 만나 2박 3일의 일정을 함께 했다. 그리고 산티아고 순례길의 출발 지점인 프랑스와 스페인의 국경도시인 생장 피에드 데 포르(생장)에서 가까운 비아렛츠로 가는 새벽 비행기를 타기 위해 공항 근처 IBIS Budget 호텔에서 하룻밤을 묵었다. 혹시라도 늦잠을 잘까 봐 알람을 맞춰 두었지만, 앞으로 펼쳐질 한 달간의 여정에 대한 기대감과 흥분으로 긴장되었기에 잠을 이루지 못하고 밤을 꼬박 새우다시피 했다.

지도상으로 보면, 스페인 북단을 동서로 횡단하는 산티아고 까미노 프랑스 길은 생장에서 산티아고 데 콤포스텔라(산티아고)까지다. 이는 서울

과 부산을 오가는 왕복 거리보다 더 긴 약 800km의 여정이다.

까미노Camino는 스페인어로 '길'이란 뜻이며, 산티아고Santiago는 성Saint과 야고보Diego의 합성어이다. 그리고 '성 야고보의 길, Camino de Santiago'을 줄여서 보통 '까미노'라 부르기도 한다. 또한 나폴레옹의 군사들이 스페인 진격을 위해 피레네 산맥을 넘었다 해서 나폴레옹 길이라고도 불린다. 고도 1,450m의 피레네 산맥 길은 11월부터 3월까지의 눈이 많은 겨울 혹은 기상이 나쁜 여름에는 통제하고 발카를로스로 가는 먼 길로 우회하게 되어 있다. 올해는 봄이 와도 그 길의 눈이 안 녹더니, 내가 출발하기 3일 전인 4월 15일이 되서야 길이 열렸다고 한다. 마틴 쉰이 주연한 할리우드 영화 'The Way'를 보면 아들이 피레네 산맥을 넘는 중 폭풍우에 조난당해 목숨을 잃고, 아들의 유품을 받으러 간 아버지가 아들의 배낭을 메고 길을 걷는 것으로 시작된다. 대개 사람들은 경치가 좋고 거리가 짧은 나폴레옹 길을 선호하는 편이다.

내가 이 길 위에 서기를 얼마나 기다려 왔던가? 정말 이 길을 갈 수 있을까? 몸이 아파서 아예 갈 기회가 영원히 없어지지는 않을까 하는 우려까지 더해, 지난 5년간 수없이 고민하고 걱정했었다. 한편으로는 떠날 그 날을 위해 도상으로 길을 미리 숙지해놓고, 관련 책을 통해 까미노의 역사와 다른 사람들의 발자취를 읽어 보고, 인터넷 까미노 카페를 통해 많은 정보를 습득하며 준비했었다. 회사의 컴퓨터나 스마트폰의 카톡 배경 화면을 까미노 사진 모음으로 설정하고 마음의 준비를 하기도 했었다. 그리고 드디어 나의 퇴직이 2개월 뒤로 예상되는 2016년 1월이 되어, 그간 모아두었던 대한항공 마일리지로 유럽행 티켓을 예약하게 된 것이다.

나는 퇴직하자마자 매일 인근 마을 도서관에서 관련 책들을 읽으며 까미노의 역사와 종교적인 개념을 이해하고, 관련 영화를 다시 한 번 보며 준비물 리스트를 만들고, 부족한 장비와 비품들을 틈틈이 구매하러 다녔다. 그리고 거실 한구석에 배낭에 들어갈 물건들을 늘어놓고, 새로 산 40리터짜리 빨간 배낭에 넣었다가 꺼내기를 반복했다. 대략 몸무게의 10분의 1 정도로 배낭 무게를 줄이고나서, 앞으로 예견되는 일과 지속해서 일어날 사항들을 점검해보며 매일 가슴 설레는 나날을 보냈다. 혹시라도 중간에 아파서 그만두게 되는 최악의 불상사가 생기지 않도록, 그간 다녔던 병원에 찾아가 2달 동안 해외에 체류하는 사정을 이야기하여 충분한 약을 받아 놓고 혈압약과 허리 통증에 대비한 상비약을 챙겨 두기도 했다. 병원에서는 굳이 갈 필요가 없으면 가지 않는 것이 좋겠다고 권유하였지만, 그것은 만약의 경우를 위한 의사들의 직업적인 멘트라고 간주했다. 그리고 까미노를 다녀온 뒤, 약 보름 동안 포르투갈과 스페인의 유명도시들을 여행할 계획도 세웠지만 준비물은 우선 까미노에만 초점을 맞추었다.

그 시작은 기차역이었다. 비아렛츠에 도착 후 먼저 RER기차를 탈 수 있는 바욘역으로 가는 버스를 타야 해서 공항 안내 데스크에 문의하니, 나이 든 안내원이 무척이나 친절하게 작은 쪽지에 써서 알려 주었다. RER역이 있는 도시 바욘은 참 깨끗하고 한적했다. 넓은 아두흐강 건너에 있는 역으로 가는 길은 이제까지 보았던 파리 같은 대도시의 모습과는 사뭇 다른 고풍스러운 모습이었다.

바욘역에서 탄 기차 안에서부터 한국 사람들과 어울리게 되었고 각자 준비과정에 대한 무용담을 나누며 웃음꽃을 피웠다. 어느 외국인 꼬마의 천진난만한 노래는 여행자들의 마음을 한껏 들뜨게 했다. 날렵하고 예쁜 두 칸짜리 기차는 목장에서 한가하게 풀을 뜯고 있는 말들과 양들이 있는 푸른 초원을 지났고, 꽃이나 나무가 별로 없는 언덕들과 평온한 전원 마을풍경 속으로 1시간여를 달려 생장에 도착했다. 기차에서 내리는 사람들 모두가 순례자들의 전형적인 모습이었다. 아치형의 스페인 문을 지나 작은 강의 다리를 건너자 갑자기 마을 풍경이 현대의 모습에서 중세 시대의 모습으로 바뀌었다. 이곳에서는 프랑스의 모습 대신 스페인 풍으로 모든 것이 이루어진 듯했다.

스페인에는 시에스타 시간이 있다. 햇빛이 너무 강한 정오 무렵부터 약 2시간가량 사람들이 휴식을 취하는 시간이다. 업무도 잠시 쉬는 시간인지라, 순례자 여권인 '크레덴샬'을 발급해주는 사무실 앞에 배낭을 줄지어 세워 놓고 동네를 기웃거렸다. 그러다 처음으로 스페인 전통 음식인 하몽이 들어가 있는 보카디요 빵을 먹게 되었다. 그리고 오렌지 하나, 와인 한 잔으로 구성된 순례자의 전통적인 메뉴로 점심식사를 마쳤다. 앞으로는 이 메뉴가 내 주식이 될 것이었다. 다시 문을 연 순례자 사무실에서는 오스피탈레로라 불리는 자원봉사자들이 개인 여권을 확인해서 크레덴샬을 발급해 주었다. 긴 종이를 접어 스탬프를 받을 수 있게 만든 크레덴샬 외에도 각 코스의 알베르게 정보와 고도 정보가 있는 안내서, 그리고 한글로 작성된 첫날 코스 안내용

지를 받았다. 기부금 2유로를 지불하며 옆에 놓여 있는 바구니에서 순례자의 상징인 커다란 조개껍데기인 가리비를 하나 골라 배낭 외부에 여러 번 질끈 묶었다. 이제 나도 정식 페레그리노 라고 불리는 '순례자 신분'이 된 것이다.

몇몇 한국인들과 인근 게스트 하우스로 몰려가 크레덴샬에 첫 스탬프를 찍고, 2층으로 된 철침대가 있는 방에 들어가 짐을 풀었다. 우선 양말과 속옷을 빨래하여 햇볕이 잘 드는 마당 건조대에 널었다. 혹시나 바람에 떨어질까봐 옷핀을 꽂아 두고 알베르게 앞에 있는 오래된 성채로 산책을 나섰다.

고색창연한 돌이끼 꽃이 성벽 밑에서부터 가득 피어있었다. 높은 암벽이 길게 이어진 오붓한 길을 지나자 언덕이 나왔다. 언덕에 올라 높은 곳에서 바라보니 아랫마을 집들의 지붕 기와 색깔이 모두 정겨웠다. 서울에서 보기 힘든 맑은 하늘의 흰 구름을 보며 '앞으로 순례길 동안 이런 멋진 자연 속을 30일 넘게 걸을 수 있겠구나' 하는 생각에 말로 표현할 수 없는 행복감과 벅찬 감동이 파도처럼 밀려왔다. 과연 내가 이 힘든 여행을 무사히 마칠 수 있을까 하는 걱정도 있었지만, 꿈을 이루기 위해 이곳에 있다는 것만으로도 스스로가 대견했다. '가다가 중지하면 간만큼 이익이다'라는 내 다짐처럼, 완주는 단지 과정 중의 하나라고 생각하기로 했다.

늘 낯선 곳으로 여행을 다니면서 미리 준비하는 습관이 몸에 배어 있어, 내일 첫 길을 어디로 가야할지에 대한 방향도 직접 확인해 놓았다. 숙소로 돌아오니 다른 이들이 높은 피레네 산맥을 넘어야 하는 긴장감과 두려움 때문인지 배낭을 택배 서비스로 보내야겠다고 했다. 혹시 나도 그래야 할까 하는 걱정을 하며 설렘반 걱정반이 섞인 저녁을 보냈다.

저녁식사 후 같은 방에 머무는 한국인들이 마을 성당에서 저녁 미사가 있는데 가보지 않겠느냐며 권하기에 따라 나섰다. 작은 성당에 여행객들과 마을 사람들 몇 명이 모여 미사를 드렸다. 나는 천주교의 미사 형태를 모르기에 다른 사람들이 하는 대로 앉았다 일어서기를 반복하고, 후에 앞 뒤 사람이 서로 인사할 때 악수를 했다. 미사 끝에 신부님이 순례자들을 위해 기도해준다 해서 모두 둥글게 서서 축복을 받았다.

저녁 10시면 알베르게의 문을 닫는다는 규정이 있어 모두들 소리 없이 침대 위에 자신의 침낭을 펼치고, 그 속으로 누에고치처럼 들어가 버렸다.

이제부터 한 달여간 내 이름보다 더 자주 말할 것 같은 인사를 해 보겠다. "부엔 까미노"(당신의 앞길에 행운을)

생장 피에드 데 포르 ➡ 론세스바예스

Day 1 Saint Jean Pied de Port

낯선 환경에서 지낸다는 것은 때론 새로운 모험과 같다. 예상치 못한 때에 어떤 일이 생길지 모르고, 내 신체가 갑자기 거부 반응을 보여 계획했던 중요한 일들이 무산될 수도 있다.

나는 오랜 직장생활을 하는 동안 해외출장을 다닐 일이 많았다. 그 경험들 덕분에 신체의 변화를 미리 예측하며 나름대로 조치를 취하곤 했다. 그 조치 중 제일 우선되는 게 바로 푹 자두는 것이다. 건강에 있어서도, 컨디션에 있어서도 잠은 정말 중요한 요소이다. 그러나 이번 여행은 기대 때문인지 시작 첫날부터 잠을 설쳤다.

밤새 누군가 기침을 했고, 코를 심하게 골았고, 사람이 뒤척일 때마다 철 침대에서는 삐걱거리는 소리가 들려왔다. 그렇게 자다 깨다를 반복하다가 새벽에 슬그머니 밖으로 나가 하늘을 보았지만, 구름이 많아 별이 그다지 없었다.

아침 6시가 되자, 사람들이 작은 랜턴 불빛에 의지해 어둠 속에서 익숙하게 짐을 챙기고 있었다. 나 역시 그들 중 한 명이었다. 7시경에 알베르게에서 외국인들과 함께 빵과 잼, 치즈 그리고 진한 커피로 아침 식사를 하고, 수통에 물을 가득 채운 후 장도에 올랐다. 같은 숙소에 묵었던 대부분 한국인을 보니 짐을 모두 택배로 보내서 간편한 차림이었다. 나는 1,000년 전에 이 길을 걸었던 순례자의 고통을 같이 나누고 싶다는 심정으로 그 달콤한 택배 서비스의 유혹을 이겨냈다.

육중한 나무 대문의 빗장을 풀고 밖으로 나왔다. 쌀쌀한 새벽공기가 뺨에 와 닿는 느낌이 싱그러웠다. 헤드 랜턴이 굳이 필요하지 않을 정도로 길이 뚜렷하게 보였다. 니베강 위의 작은 돌다리를 건너 언덕으로 올라가는 길에서 두 명의 덴마크인들을 만나 처음으로 "부엔 까미노"하며 인사했다. 함께 걷다가 피레네 산맥코스 대신 발카를로스로 우회하는 갈림길에서 오리손으로 향하는 첫 번째 노란 화살표를 발견했다. 앞으로 이 노란 화살표는 한 달간 내 삶의 이정표가 될 것이었다.

언덕을 오르다가 뒤를 바라보니 구름이 붉게 물들고 여명이 밝아오고 있었다. 시간이 지날수록 붉은 빛은 더 멋있게 동쪽 하늘로 확산되었다. 내 그림자가 짧아지는 것을 느낄 때마다 뒤를 바라보며 사진을 찍었다. 앞으로는 서쪽을 향해서만 가야 해서 내 뒤의 그림자를 볼 수 없듯이, 내 과거의 편안함과 문명의 모든 쾌락도 잊고 살아야 했다.

날이 밝은 후부터 언덕에 펼쳐진 푸른 초원과 그사이 작고 예쁜 집들, 그리고 양 떼들이 풀을 뜯는 아름다운 목장의 아침 모습에 빠져서 한참을 감탄하다 언덕에 올랐다. 뒤를 바라보면 멀리 보이는 산 계곡 사이에 머무는 구름의 모습에 넋이 빠져버렸다. 언덕을 오르는 게 힘이 들어 아래만 보고 걷다가, 가끔 고개를 들어 길을 보면 커다란 곡선이 굽이굽이 올라가고 있어 한숨이 절로 나왔다. 숨이 가빠짐을 느낄 때쯤 소들이 풀을 뜯고 있는 어느 목장 앞에서 잠깐 쉬었다.

같이 걷던 다른 이들이 먼저 올라가는 걸 보고 있다가 목장의 철조망 안에 작은 십자가 하나가 세워져 있는 걸 발견했다. 자세히 보니 이곳에서 생을 마감한 어느 순례자를 기념하는 십자가였다. 그 뒤로도 비슷한 추모 십자가를 자주 볼 수 있었다. 나는 이전부터 내가 죽게 되면 한국식 무덤과는 다르게 수목장이나 유골을 바다에 뿌리는 등의 장례였으면 하는 생각을 가지고 있었다. 그런데 이렇게 십자가를 보게 되니, 문득 내 영혼도 십자가와 함께 이곳에 머물게 되면 좋겠다는 생각이 들었다.

그림자의 길이가 짧아질 때쯤 산 위로 보이는 초원은 밝은 녹색 물감을 풀어 놓은 듯 아름다웠다. 일부러 나무 없이 초원으로만 가꾸어 놓은 것인가, 아니면 원래 이렇게 나무가 없었을까? 탁트인 개활지라 시야 확보에 용이하다는 생각이 들었고, 나폴레옹 군대가 적군의 습격을 막기 위해 이 루트를 이용한 것이 이해되었다.

산으로 올라갈수록 쉬는 빈도는 점점 잦아졌고, 아침에 추위에 대비해 껴입었던 옷들을 하나씩 벗기 시작했다. 떠난 지 약 6km 되는 지점에서 처음 마주친 온또 마을에는 아침을 먹을 수 있는 카페가 있었지만, 대부분의 사람들은 그냥 지나쳤다. 아직 여정의 초반이었기 때문일 것이다. 눈앞에 보이는 산의 경사는 더 급해졌다. 멀리 아래쪽에서는 사람들이 배낭을 메고 끝없이 올라왔고, 나를 지나친 사람들은 아득하게 멀리 올라가고 있었다. 도저히 그들과 같은 속도로 걷기 어려워 걸음을 멈추고 뒤를 바라보던 내 입에서 저절로 찬송이 흘렀다.

주 하나님 지으신 모든 세계
내 마음속에 그리어 볼 때

참 아름다워라 주님의 세계는
저 솔로몬의 옷보다 더 고운 백합화

누구나 멍하니 서 있게 될 만큼 정말 아름다운 광경이었다. 한국에 있는 산의 모습과는 완전히 달랐다. 한국의 산은 나무가 대부분이라 정상에 오르지 않는 한 시야가 넓지 않은데, 피레네 산은 초원이 거의 전부라 광활한 자연의 모습이 한눈에 들어왔다. 길의 상태로 볼 때 산꼭대기까지 차가 올라갈 수 있었지만, 차의 통행은 거의 없었다. 우리나라 같으면 이 멋진 곳을 드라이브하기 위해 차가 줄지었을 텐데, 이 아름다운 길은 온전히 순례자들을 위한 길이었다. 통제를 하는 것일까? 그러나 어디에도 경찰은 보이지 않았다.

온또 마을의 3km 전방에 알베르게가 있는 오리손에 도착해보니, 먼저 지나간 사람들이 그곳에 모여서 커피와 맥주를 마시고 있었다. 피레네 산을 한 번에 오르기 힘든 사람들은 이곳에서 하루를 쉬고 가는 방법도 있다. 하지만 이곳은 작은 건물 한 채만 있어서. 예약하지 않고 오후에 도착해서 묵을 수 없게 되면 그다음 숙소까지 약 20km를 걸어야 하니 큰 위험에 처할 수도 있다.

전망대 테라스에 자리를 잡고 내가 올라온 길의 아름다움을 즐기며 시원한 맥주 한 잔을 마셨다. 평상시에 갈증이 날 때 마시던 맥주보다 훨씬 더 급격하게 갈증이 해소되는 것 같았다. 다음 여정을 위해 화장실을 이용하고자 카페 안으로 가서 줄 서 있는데, 카페 주인이 나를 가리키며 여기 손님이 아니니 화장실을 이용하지 말란다. 화장실 앞 안내문에 적힌 스페인어가 대략 그런 뜻이었다. '손님만 이용하라' 나를 공짜 손님으로 착각한 주인과 작은 실랑이를 벌이다 화장실을 이용하기는 했지만 기분이 좋지는 않았다.

카페주인의 행패에 얼른 카페를 나와 다시 길에 오르니, 화장실을 이용하지 못한 사람들이 숲으로 들어가 일을 보는 모습이 보였다. 까미노에서는 순례자를 위한 무료 화장실을 찾아 볼 수 없었다. 그리고 대부분의 카페 화장실은 이렇게 손님들만 쓸 수 있게 운영되고 있었다. 아마 자주 화장실을 이용해야 하는 사람들은 까미노에 오기 전에 방법을 강구해야 할 것이다.

어느 순간부터 하얀 개 한 마리가 사람들 속을 걸어가고 있었다. 처음에는 누군가 개를 데리고 다니는가 했는데, 가만히 보니 주인이 없는 유기견 같았다. 이 개는 이틀 동안 순례자들을 따라 다니다가 3일째 되는 날, 알베르게 주인이 숙소로 들여보내 주지 않으니 슬그머니 사라져 버렸다.

아스팔트 도로가 끝나고 발카를로스로 가는 샛길이 오른쪽에 있었지만, 아무도 그 길로 가는 사람은 없었다. 어느새 주위에 사람들이 많아졌다. 내가 걸어가는 속도가 느리니 나보다 늦게 출발한 사람들이 모두 내 옆을 스쳐 지나갔다. 바퀴가 달린 배낭에 짐을 올려놓고 천천히 걷고 있던 외국인이 더위를 못 참겠는지 웃통을 다 벗어버리고 맨몸으로 걷고 있었다. 그건 무례함일까? 자유로움일까?

나는 아래를 내려다볼 수 있는 언덕과 저 멀리 건너편 산이 너무 좋아 신발과 양말까지 벗고 길가에서 한참을 쉬었다. 언덕 저편에 목동들의 수호신으로 알려진 하얀 '비아코리 성모 마리아상'이 보이는 걸 보니 제법 많이 올라온 것 같았다. 마리아상의 뒤편은 거의 낭떠러지였다. 만약 안개가 끼어 있을 때 호기심에 이곳으로 오면 위험할 수도 있겠다는 생각이 들었다. 다른 사람들도 이제 다 올라왔다는 안도감 덕분인지 성모상 근처에서 옷을 벗고 일광욕을 즐기고 있었다. 반대편 산꼭대기에는 마치 동상을 세워놓은 듯 미동도 하지 않고 있는 말 한 마리가 보였다. 세상의 평화가 이곳에 있는 듯했다.

그런데 갑자기 스마트폰에 문자가 쏟아졌다. 해외에 오면 늘 그렇듯이, 비행기가 다른 나라에 착륙한 후 휴대폰을 켜면 한국 외무부에서 다른 국가를 여행하는 사람들에게 해당 지역에 대한 여행 주의 안내 문자가 온다. 그 문자가 바로 지금 도착한 것이다. 내가 프랑스와 스페인 국경 사이에 서 있었기 때문이었고, 걸어서 국경을 넘는 경험도 처음이었다.

그곳에서 몇몇 한국 사람들과 모여서 점심으로 빵과 간식을 나누어 먹다가 그만 내가 싸온 빵 포장지가 바람에 날려 낭떠러지 쪽으로 휘익 날아가 버렸다. 급히 손을 뻗었지만 잡지 못했다. 이런 깨끗한 자연에 오점 하나를 남긴 것 같아 미안해졌다. 그제서야 순례자들이 많이 다니는 이 길 어디에도 날아다니는 비닐봉지나 쌓여 있는 쓰레기를 보지 못했다는 걸 알았다.

이어지는 작은 언덕길의 노면은 튀어나온 돌 때문에 거칠었다. 앞으로 걸어가야 할 산은 이제까지 내가 올라오며 보던 산과는 전혀 다른 모습이었다. 아름다운 산들은 점점 멀어져 금방이라도 내 시야에서 사라질 듯했다. 산꼭대기에는 눈이 덮여 있었고, 산등성이는 끝도 없이 이어졌다.

'설마 저곳까지 가는 것은 아니겠지.'

산 정상에는 평평하고 메마른 흙길이 계속되었다. 주위에 키 작은 나무들이 있는 걸 보고 이곳은 바람이 강한 지역임을 알 수 있었다. 그리고 그 끝에는 '롤랑의 샘'이라는 반가운 급수대가 기다리고 있었다. 롤랑은 학창시절 배웠던 프랑스 역사에 나오는 '롤랑의 노래'의 주인공이다. 프랑스군 롤랑이 스페인군과 싸울 때 이 길을 가며 물을 마셨다고 해서 롤랑의 샘이라 부른다. 샘물은 롤랑의 용맹처럼 버튼을 누를 때마다 콸콸 쏟아지고 있었다. 나도 시원한 물을 마시고, 빈 물병을 가득 채웠다.

피레네 산맥은 겨울이나 날씨가 험한 날에는 위험한 곳인지라, 이곳에서 브라질인 순례자가 유명을 달리한 모양이었다. 길가에 있는 돌로 만든 울타리에 십자가 묘비를 세우고 이름과 사망한 날짜를 새겨 놓은 걸 볼 수 있었다. 많은 사람이 산티아고 길을 걷기 전 유서를 써 놓고 오기도 한다. 산뿐만 아니라 여기저기 힘든 코스에서 기상악화로 사고를 당할 수도 있고, 굉장히 긴 길을 걸어야 하기에 본인의 체력이 한계에 도달하면 급작스러운 심장마비로 죽을 가능성이 많은 곳이 바로 이 까미노 길이다.

언덕이 이제 끝났나 싶었는데 멀리 보이는 곳에 또 다른 언덕이 있었다. 그곳에 오르기 전 작은 가옥 옆에 앉아 잠시 숨을 가다듬고 다시 일어서는데, 어제 바욘역에서 만났던 한국 아가씨를 다시 만났다. 친구 한 명이 많이 뒤처져 있다고 걱정하며 혼자서 기다리겠다는 것이었다. 나도 많이 늦었기에 일어나서 눈이 두텁게 쌓인 언덕을 다시 올라가기 시작했다. 하지만 힘이 고갈되어 몇 미터 간격으로 나 있는 나무 기둥을 잡고 몇 번씩 호흡을 가다듬어야 했다. 그 기둥은 눈이 많이 쌓였을 때 눈의 높이와 길을 알려주는 역할을 하는 것 같았다. 언덕을 넘으니 피레네 산의 정상인 레푀데르 기점이자 국경선의 연장 지대가 나타났다. 스위스에서 왔다는 두 명의 아가씨가 나를 보고 "부엔 까미노" 하고 인사를 건네며 이제 더 이상 올라갈 필요가 없다면서 즐거워했다.

가파른 내리막길이 펼쳐졌다. 거친 길이기에 조심스레 아래를 살펴야 했고, 오래 걸으면 무릎에 무리가 갈 정도라 시간이 더 걸리더라도 천천히 내려가야만 했다. 대개 산행 중 다리 관절의 이상은 올라가는 길보다 내려가는 길에서 생기곤 한다. 가끔 산악자전거를 탄 순례자들이 그 언덕길을 쏜살같이 달려 내려갔다.

길은 곧 숲으로 이어졌다. 하늘을 가릴 정도로 빼곡한 나무 기둥 사이에서 형광 노란색 화살표를 찾는 일에 집중해야만 했다. 노란 화살표는 까미노 길에서 꾸준히 발견할 수 있는 순례자들을 위한 생명선 같은 것이다. 물론 사람들이 다닌 흙의 흔적을 찾아가면 되기는 하지만, 그것도 완전히 믿을 수가 없으니 조금 이상하다 싶으면 멈추어 서서 꼭 화살표를 찾았고, 그 전에는 섣불리 진행 방향을 결정하지 않았다.

해발 200m의 생장에서 시작한 길이 해발 1,450m를 넘어 해발 950m 높이에 있는 론세스바예스까지 내려가니, 세운 지 얼마 되지 않은 또 다른 추모 십자가가 보여 안타까운 마음으로 지나쳤다. 론세스바예스로 들어가는 작은 개울을 건너자 커다란 돌담 앞에 동상이 있었다. 말처럼 생긴 전설의 동물과 사람의 형상이었다. 그 옆에 세워진 마을 안내 지도를 물끄러미 바라보고 있는데 잘생긴 꽃미남 한국 청년이 내게 와서 말을 걸었다. 알베르게가 어디냐고 물어왔지만 나도 모른다고 답했다. 이 청년과는 이후부터 아주 가까운 사이로 지내게 되었다.

알베르게를 찾아 들어가니 미리 도착한 많은 순례자가 벌써 편한 복장으로 갈아입고 여유를 즐기고 있었다. 여기저기 모여 담소를 나누고, 주방에서 요리를 하거나 세탁장에서 빨래하는 사람들도 있었다. 그리고 한쪽에는 '필요한 사람은 누구나 가지고 갈 수 있다'는 안내문과 함께 사람들이 무거워서 버린 책이나 의류, 신발들이 있었다. 한글로 된 책들도 눈에 띄었다.

데스크에서 저녁 식사금액이 포함된 숙박비용을 지불하니, 크레덴샬에 스탬프를 찍어 주며 오스피탈레로가 3층에 있는 침대로 안내해주었다. 1층과 2층의 큰 방에 있는 침대는 모두 이층 침대였고, 3층에는 편한 단층 침대가 있었다. 내 자리는 방 끝에 있었다. 그건 내가 조금 늦게 왔다면 이 자리를 차지할 수 없었다는 의미이자 다른 숙소를 찾아야 한다는 가정일 수도 있다. 이곳에서 수용 가능한 인원을 침대 수로 계산해 보니 약 300명 정도였다. 그러니 하루에 까미노를 시작하는 순례자들 숫자가 대략 300명 정도일 것이라는 짐작이 갔다. 후에 들으니 늦게 온 사람들은 건물 밖 창고에서 자고, 침대 대신 매트리스만 제공한다고 한다.

오늘 걸은 시간을 계산해보니 코스 안내 상으로는 대략 7시간 반 정도 거리라 하는데, 나는 무려 9시간이 걸렸다. 그래서 '내 체력이 이 정도밖에 안 되나? 매일 이러면 어떡하지?' 하는 걱정도 들었다. 저녁 식사는 튀긴 고기와 빵, 감자튀김 그리고 테이블마다 와인 한 병씩이 주어졌다. 식사를 마치고 짐도 제대로 정리하지도 못한 채 흰 시트가 덮인 침대에 누웠다.

나는 까미노 중 가장 힘든 코스를 넘었다는 안도감을 느끼며 그대로 잠에 빠져들었다.

Buen Camino

론세스바예스 ➡ 라라소냐

Day 2 Roncesvallez

새벽 6시경에 어디선가 명상음악이 들려왔다. 깨끗한 마음으로 하루를 시작하라는 의미의 방송인 줄 알고 침대에 누워 비몽사몽간에 편하게 듣고 있는데, 외국인 한 명이 내 맞은편에 있는 침대의 침낭에서 나는 소리라며 그곳을 뒤져 휴대폰을 찾아냈다. 어떤 한국인이 알람을 맞춰 놓고 샤워장에 간 사이 그런 일이 벌어진 것이다. 작은 부주의가 공동생활에 피해를 끼칠 수도 있다. 넓은 방 안은 다시 조용해졌지만, 순례자들은 잠에서 깬 김에 준비를 하려는 듯 여기저기서 뒤척이는 소리가 들렸다. 방의 중간쯤에 머리가 하얀 외국인 여자가 자기 침대 옆에서 중국의 태극권 같은 기체조를 하고 있었다.

알베르게는 6시 반에 출입문을 열기 때문에 사람들이 문 앞에 옹기종기 모여 있었다. 문을 열어 주기만을 기다리고 있다가 문이 열리자마자 일제히 어둠 속으로 힘차게 걸어 나갔다. 나도 그 무리에 끼게 되었고, 몇몇 사람은 아침 식사를 위해 인근 카페로 갔다.

아름드리나무들이 이어지는 호젓한 숲길로 걷기 시작했다. 아직 어두워 끝이 보이지 않았다. 그러다 어제 숙소를 찾다가 만난 한국 청년과 피레네 산을 오르다가 만난 한국 아가씨가 서로 어깨를 나란히 하고 빠른 걸음으로 스쳐 지나가는 걸 보았다. 서로 모르는 사이였는데 같이 걷기로 의기투합하기로 한 듯했다. 그 뒤로 이 젊은이들과 숙소에서 자주 마주쳤고, 때론 같이 다니면서 친해졌다. 성격도 잘 맞고 서로가 좋아 잘 어울리게 된 것이다. 그 후 각 지방에서 올라온 2명이 더 합세해 4명이 그룹을 지어 산티아고까지 같이 동행했다.

한 가지 여담을 덧붙이자면, 까미노 길에서 노란 화살표 외에 빨강, 녹색 그리고 하얀색으로 작은 사각형의 표시가 계속 보여 무슨 표시인지 궁금했었는데 여행이 끝난 뒤에야 그 의미를 알게 되었다. 한국에 돌아와 내가 즐겨 보는 KBS TV의 '영상앨범 산'에서 산티아고 특집을 보던 중, 현지 안내자가 말하길 "다른 색들은 유럽 지역의 주요 트레일을 표시한 것이다"라는 것이었다. 참 늦게도 궁금증이 풀렸다.

빗방울이 떨어지기 시작했다. 그다지 많이 오는 건 아니라 비를 맞으며 피레네 길과는 사뭇 다르게 예쁜 집들이 많이 있는 부르게테 마을길을 지나갔다. 소설가 헤밍웨이가 도시의 소음을 피해 조용한 시골 마을인 이곳에서 지내며 '태양은 다시 떠오른다'라는 소설을 집필하였고, 프랑스의 대문호인 빅토르 위고도 이곳에 머무르며 작품 활동을 했다고 한다. 비가 와서인지 인기척은 없었고 이제 막 문을 연 카페는 이슬비에 노란 백열등이 반사되어 더 아름다웠다. 집집마다 햇빛을 가리기 위한 덧창이 굳게 닫혀 있었다. 어느 집도 근처에 잡동사니를 두지 않아, 주택 한가운데에 있는 길도 참 깨끗했다. 마을 끝 즈음에 있던 '니콜라스 성당'은 중세적인 다른 곳의 모습과 달리 현대적인 건물이라 한참을 서서 바라보았다. 스페인은 전 국민의 97%가 카톨릭 교인이라 이곳에 개신교 교회가 있지는 않을 거라 생각했다.

넓은 초원에서 비를 맞으며 풀을 뜯는 말들은 애처로워 보였다.

눈앞에 보이는 화살표는 정면 방향을 가리키고 있었지만, 철조망이 있고 나무문이 닫혀 있어서 고개를 갸웃거리고 있는데 뒤를 따라 오던 외국인이 지극히 당연한 듯이 나무문을 열고 갔다. 아마 말들이 지나가지 못하게 막아 놓은 모양이었다.

에스피날 마을을 지날 때도 여느 시골 마을의 성당과는 다른 현대식 '산 바르톨로메 성당'이 시선을 끌었다. 우리나라 시골 마을에 건축한 예쁜 교회와 비슷하다고나 할까? 참으로 다양한 모습이 까미노에 존재했다. 그 마을에는 순례자를 위한 커다란 샘이 있어 시원한 물줄기가 흘렀다. 숲으로 들어가니 이끼가 가득한 울창한 나무들이 열병식을 하고 있었다. 그 사이를 걸으니 기분이 무척 좋아졌다. 숲 가운데 성모의 모습이 새겨진 비석 아래 꽃이 있는 것으로 보아 누군가의 묘지인 것 같았다.

린조아인 마을을 지날 때 대부분의 집 대문 위를 보니 연도가 적혀 있었다. 나는 건물의 상태를 유심히 관찰했다. 문 앞에 적은 숫자로 보아 모두 건축한 지 몇백 년 넘은 집이었다. 많은 집이 외관은 그대로 둔 채, 내부만 현대 생활에 맞게 개조해서 사용하는 것 같았다. 전통은 지키면서, 편안한 생활을 추구하는 사고방식이었다.

비가 어느 정도 그쳐 우비를 벗고 길가의 넓은 돌 위에서 쉬는데 중년의 프랑스 여자가 내게 말을 걸어왔다. 그분은 "까미노를 걸으며 서로 다른 문화를 가진 사람들과 대화하며 걷는 것이 좋은데, 나와 같이 가는 사람들은 단체들끼리만 이야기하며 걷고 있다"며 불평했다. 나도 그 의견에 전적으로 공감한다고 답했다. 비록 언어의 이해가 조금씩 부족해 의사 전달이 원활하지는 않았지만, 서로 다른 민족의 사람이 서로의 생각을 나누는 게 좋았다. 그분은 그 뒤로도 나와 길에서 몇 번을 만나 이야기했다.

집집마다 대문이나 벽에 십자가가 새겨져 있는 걸 보고 카톨릭 신앙이 스페인의 중심임을 알 수 있었다. 지난 천년동안 산티아고를 향해 걷는 순례자들에게 숙식과 각종 편의를 제공하기 위해 세워진 마을들이 자손 대대로 이어져 왔을 것이다. 한국에서는 아침이면 대문 앞주머니에 우유나 요구르트가 넣어지듯, 이곳은 대문에 달린 작은 주머니에 긴 바게트 빵이 넣어져 있었다.

나무가 음산하게 보일 정도로 두터운 이끼들이 덕지덕지 끼어있기도 했는데, 이곳이 거의 공기청정지역임을 보여주는 상징과 같았다. 길가 모퉁이에 나뭇가지가 쌓인 초라한 장소를 우연찮게 돌아다보니 그곳에도 십자가가 있었다. 64세의 어느 일본인 순례자의 무덤이었다. 이렇게 나이 든 사람들에게는 까미노가 위험한 곳이 될 수 있음에도 불구하고, 누군가는 반드시 이곳에 온다. 나 또한 정말 힘들지라도, 내가 꼭 하고 싶은 것을 하다가 죽고 싶은 심정을 가지고 있었다.

나는 오랜만에 휴대폰을 꺼내 들었다. 순례자들이 많이 쓰는 어플 중에 '까미노 필그림camino pilgrim'이 있는데, 며칠에 걸쳐 까미노를 걸어야 할지 알려주기 때문에 유용하다. 순례자가 30일에서 35일 사이, 혹은 더 긴 일정 중 하나를 선택하면 날짜에 맞게 걸을 수 있는 거리를 알려준다. 또한 어느 마을에 묵어야 하는지와 그 마을에 식당, 카페, 마트 그리고 약국과 병원이 있는지, 알베르게 리스트와 각 알베르게가 공립인지 사설인지 혹은 종교단체에서 운영하는 곳인지 확인할 수 있으며 숙박 요금은 물론 주방, 와이파이, 세탁기 등 어떤 시설이 있는지까지 자세하게 나와있다. 나는 우선 32일로 설정해놓은 상태였다. 대개 2번째 날은 론세스바예스에서 약 20km 지점인 주비리에서 묵는데, 어플을 보니 오늘은 주비리에서 몇 킬로미터 더 가야 나오는 라라소냐까지 가야 했다.

라라소냐를 가면서 마주 오고 있는 중년의 순례자들을 자주 봤다. 거의 모두 배낭 없이 빠른 걸음으로 지나치기에 "부엔 까미노"라고 했더니, 자기들은 순례를 하는 것이 아니고 운동을 하는 것이라 했다. 그중 맨 뒤에 오는 사람이 노래를 크게 부르며 지나가기에 나랑 같이하자고 말 붙이며 그 사람을 붙잡았다. 내가 얼른 멕시코 노래인 'Cielito Lindo'를 불렀더니 금방 알아듣고 함께 소리 높여 이중창을 했다. 그 스페인 아저씨와 나는 손을 높이 들어 크게 손바닥을 마주치고 헤어졌다. 이렇게 순례자들과 같이 노래하게 되는 짧은 만남 또한 걷는 것 외에 느낄 수 있는 또 다른 즐거움이다.

수비리 마을로 들어가 아치형 돌다리인 '라 리비아'에 이르렀고, 그 아래 맑은 물가에서는 몇몇 순례자들이 쉬고 있었다. 아직 문을 연 알베르게가 없는지 사람들이 배낭을 옆에 둔 채 마을 공터에 앉아 있었다. 알베르게는 문을 닫았지만 레스토랑은 문을 열었기에, 우연히 만난 파리 교포 가족들과 함께 그곳에서 점심을 같이했다. 레스토랑에서 와이파이를 이용하기 위해 비밀번호를 물으니 CARMEN이라고 했다. 인터넷이 된다는 생각에 갑자기 기분이 좋아졌다.

식사 후 나 혼자 수비리를 지나 라라소냐가는 길로 들어서는데 소나기가 쏟아지기 시작했다. 작은 정자에서 비가 그치기를 기다렸지만 아무래도 계속올 것 같아 우비를 뒤집어쓰고 걸었다. 사람 하나 겨우 지나갈 만한 좁은 숲길에 비가 계속 와서 물웅덩이를 피할 수 없던 건 물론이었다. 길옆 개울은 세차게 흘러갔다. 길게 뻗어 나온 나뭇가지들이 내 뺨을 스쳐서 불편함을 느끼던 중, 문득 앞에서 우산 쓴 중년 외국인이 손에 전지가위를 들고 다니며 튀어나온 가지를 자르는 걸 보았다. 이것도 자원봉사의 일종인가, 아니면 시 공무원이 나와서 일하는 중인가 싶었다.

높은 굴뚝이 있는 큰 공장을 지나 약 4km를 걸어 라라소냐에 있는 공립 알베르게에 도착했다. 이 알베르게는 숙소 건물을 2개의 동으로 운영하는 것 같았다. 늦게 도착한 우리는 안내받은 별도의 건물로 들어가서 침대를 차지했다. 와이파이가 잡히지 않고, 주방도 사무실이 있는 건물로 가서 이용해야 해서 약간의 불편함을 느꼈다.

짐을 풀고 난 뒤에는 비가 개어서 인근에 있는 마트로 향했다. 그곳에는 짤막한 한국말 하기를 좋아하는 뚱보 아저씨가 있었다. 소시지, 계란 등과 와인을 한 병 사고, 감자 2알을 서비스로 받았다. 숙소로 돌아와서는 음식을 해 먹는 외국인들과 자연스럽게 어울리는 분위기가 되어 서로의 와인도 나눠 마시고, 밤늦게까지 웃고 떠들며 시간을 보냈다. 비가 와서 눅눅한 방은 사람들이 널어놓은 빨래로 더욱 습했다. 그러면 어떠랴. 고단한 몸을 뉘일 수 있는 곳이라면 어디든 좋았다.

Buen Camino

라라소냐 → 팜플로나

Day 3 Larrasona

이상했다. 평소에는 이틀 정도 연속 트레킹을 하면 입술에 물집이 생기고 발에도 물집이 잡혔는데, 이번 까미노에서는 아직 그런 증상이 없었다. 입술을 만져 봐도 말짱했다. 하지만 늘 그랬듯이 언제 터질지 모르는 일이었다.

지난밤에는 내가 언제 잠들었는지 기억나지 않을 정도로 숙면을 취한 것 같았다. 새벽에 되어 아래층에 있는 화장실을 가느라고 벽의 스위치를 더듬어 찾다가 잘못해서 그만 위층의 전등을 켰다. 곤히 자는 사람들에게 너무 미안했다. 아직 마르지 않은 빨래들은 비닐봉지에 싸서 배낭 안에 쑤셔 넣고 다시 메다가 그만 계단 아래로 굴러 떨어질 뻔 했다. 가슴이 철렁했다. 이런 사소한 행동에도 주의가 필요하다.

마을 옆으로 사람들이 줄지어 가고 있었다. 처음 보는 얼굴이 많은 걸 보니 다른 알베르게에서 자고 나온 사람들인 것 같았다. 비가 오락가락 내리는 동시에 더워지니 몸에 습기가 가득 차 옷을 하나씩 벗기 시작했다. 까미노에서는 감기도 매우 조심해야 한다는 걸 알기에 일부러 조금 덥게 입고, 잘 때도 늘 따뜻하게 입고 잤다.

길을 걷다가 전방의 풍경을 사진으로 찍으려고 하는데 앞서가던 일행 중 한 외국 여자가 장난기가 섞인 표정으로 환하게 웃으며 내 앞을 가로막았다. 이탈리아에서 몇 명과 함께 왔단다. 자기 이름이 '팔레리아'라기에 나는 '까르미나'라 했더니 자기 이름과 비슷하다며 웃었다. 까미노에서는 내 한국 이름을 밝히지 않았다. 외국 사람들도 부르기 쉽게 내가 인터넷 SNS에서 주로 쓰는 아이디를 쓰기로 했던 것이다. 내 소개 스탬프도 그렇게 만들었다. 까미노에서는 스페인말로 '세요'라 불리는 스탬프가 상당히 중요하다. 까미노에 있는 숙소나 관공서, 카페 등에서 스탬프를 꼭 찍어 준다. 알베르게에서도 순례자 여권이 있어야 숙박이 가능하고, 후에 완주증을 받을 때도 날짜별로 스탬프가 찍힌 것을 확인한다.

한국에서는 내 아이디를 말하면 대개 뜻을 모르는데, 이곳에서 만나는 외국 사람들은 대개 까르미나하면 '부라나'라는 말을 바로 할 정도로 그 뜻을 잘 알고 있었다. 놀라지 않을 수 없었다. '까르미나 부라나'는 독일의 유명 작곡가인 칼 오르프가 작곡한 합창곡 모음의 제목인데 첫 곡인 '오 운명의 신이여'라는 노래가 대중에게 많이 알려져 있다. 영화 OST를 비롯해 광고의 배경음악으로도 많이 쓰일 정도이다. 까르미나는 라틴어로 '노래'라는 뜻을 가지고 있다. 80년대 중반에 외국에서 이 노래를 처음 듣고 너무 좋았던 것을 계기로 국내에서의 내 아이디는 늘 까르미나로 통한다. 팔레리아는 그 뒤에도 나를 볼 때마다 내 미소가 좋다고 하며 나와 사진 찍기를 즐겼다.

날씨가 습해서 새까맣고 긴 몸통을 가진 민달팽이들이 길가에 많이 기어 다니고 있어 발밑을 조심해야 했다. 어제 늦게까지 내린 비에 아르가 강물이 불어 물 흐르는 소리가 유독 크게 들렸다. 어떤 지역에서는 길에 하천물이 넘쳐흐를 것 같기도 했다. 날씨 어플로 미리 그 지역의 비 예보를 확인해야 했지만, 비로 인해 걸음을 멈추고 쉰 날은 없었다.

피레네 산맥 이후로는 계속 내리막길이었다. 때로는 급하게 경사진 길 바닥에 이끼가 끼어 있어 미끄러질까 봐 조심스러웠다. 감기 이외에 제일 조심했던 게 발목이 접질리는 것이었다. 발이 한 번

삐끗하면 그 부위의 통증으로 인해 계속해서 삐끗하는 경우를 국내 트레킹 중 자주 당해 보았기에, 언덕길이나 바윗길을 걸을 때 상당히 조심했다. 비가 그치고 5km 정도에 있는 이로츠 마을 카페에서 커피와 크로아상으로 아침 식사를 해결하고, 늘 그래야 하듯이 화장실을 이용했다. 까미노에서는 카페나 숙소 이외에는 화장실을 이용할 수 없으므로 필수적인 일이다.

약 600m 정도의 차도를 지나 다시 벌판길로 들어섰다. 영어를 전혀 모르는 나이 든 이탈리아 부부가 나에게 반갑게 인사를 건넸다. 무언가 공통의 관심사를 꺼내 친밀감을 표현하기 위해 안소니 퀸이 주연한 이탈리아 영화 '라 스트라다'를 아냐고 묻기도 했다. 그 뒤로 이 부부와도 계속 만났다.

길에서 멀지 않은 곳에 캠핑할 수 있는 장소가 보였다. 어떤 이들은 알베르게에서 지내지 않고 텐트와 취사도구를 들고 다니며 중세의 순례자처럼 캠핑을 하기도 했다. 까미노는 그런 사람들을 위한 장소가 많지는 않지만, 야영장에 급수대와 돌로 만든 식탁을 준비해두었다. 벌판 길을 지나 고속도로 밑의 지하차도로 가면 터널 벽에 온갖 그라피티가 잔뜩 그려져 있었다. 까미노의 모든 지하보도나 창고 건물 등 사람이 살지 않는 건물의 벽은 그야말로 욕망의 분출구였다. 그라피티도 그냥 낙서 수준이 아니고 전문가들이 돌아다니며 그린 것처럼 예술성이 진하게 느껴졌다.

터널을 지나 다시 약간 오름길을 걸으니 멀리 오늘의 목적지인 팜플로나가 보였다. 그 언덕길에서 누군가를 추모하는 검은 철 십자가가 풀숲에 세워져 있었다.

팜플로나가 약 8km 남았다는 이정표가 사람들의 발걸음을 가볍게 만든 듯했지만, 비교적 큰 도시인 부르라데를 지나자 곧 오름길이 나와서 모두 힘들어했다. 언덕을 내려올 때는 뜨거운 태양 빛이 너무 좋아 내가 큰 소리로 이탈리아 가곡인 '오! 솔레미오' 노래를 힘차게 부르니 같이 걷던 독일 사람도, 이탈리아 사람도 따라 불렀다. 그때부터 사람들은 나만 보면 노래를 같이 하자고 권했고, 나 또한 마다치 않았다. 언어는 서로 달라도 노래는 함께 부를 수 있는 법이다.

대도시의 모습이 보이기 시작하자 아름다운 아치형의 부르가 다리도 만날 수 있었다. 난간에 고색창연한 돌이끼 꽃이 가득 핀 것으로 보아, 오랜 세월 그 자리를 지키고 있는 것 같았다. 막달레나 다리 끝에 있는 작은 성당은 미사를 드리는 성당은 아닌 것 같고, 여행자들의 기도용 성당 같아 보였다.

팜플로나는 까미노 프랑스 길에서 가장 큰 도시 중 하나이다.

인터넷에 '까미노 친구연합'이라는 까미노 모임 카페가 있어서 까미노에 관심 있는 사람들이 수많은 글로 교류를 하고 있는데, 트레킹 중 부족한 물품을 사거나 우체국, 병원의 유무에 대해 물어보면 대게 "팜플로나에 가보라"고 알려준다. 그만큼 순례자를 위한 모든 것이 다 있는 곳이기 때문이다. 까미노를 걸으며 항상 느끼는 사실이지만, 시내의 공공시설들을 대부분 현대식이 아닌 몇백 년 전부터 이어져 온 고딕양식의 건축물이기에 더욱 아름다워 보였다. 건물마다 어떤 용도인지는 모르겠지만, 담쟁이 넝쿨로 감싸진 건물 벽을 보면서 신비함을 느끼기도 했다.

갑자기 큰 도시에 오니 과일가게도 반가웠다. 커다란 오렌지를 사서 먹던 중 지나가던 시민이 먼저 'Jesus y Maria'라는 알베르게 이름을 알려주며 그곳으로 가라고 말해줬다. 내가 오늘 묵으려고 정해둔 곳이었다. 번잡한 로터리를 지나 다시 한적한 곳에서 길이 여러 갈래로 나 있어 방향이 헷갈렸지만, 주민이 알려준 대로 따라가니 눈앞에 커다란 성벽이 나타났다. 그리고 돌다리를 건너자 그곳이 구도시라는 걸 알 수 있었다.

'프랑스 문'이라는 별명을 가진 수말라까레기 문을 지나 대성당 근처에서 찾은 알베르게는 접수하는 사람이 영어를 전혀 못 해서 잠깐

당황스러웠다. 실내를 둘러보니 규모가 상당히 크고 깨끗한 편이었다.

팜플로나는 헤밍웨이가 사랑한 도시였고, 소설 '태양은 다시 떠오른다'에 나오는 소몰이 산페르민 축제로도 유명한 도시다. 매년 7월에 열리는 이 축제는 동키호테 기질을 가진 스페인 사람들이 일부러 소를 자극하는 하얀 색과 빨간 조끼를 입고 골목에서 황소에게 쫓겨 다니고, 때로는 소뿔에 받치기도 하면서 자신의 용맹을 과시하는 스페인 전통 축제다.

시내로 나와서 성벽 위로 올라가니, 오랜 세월 이곳에서 전쟁을 치렀던 흔적들이 그대로 다 보였다. 어디엔가 헤밍웨이 흉상이 있다 하는데 이리저리 돌아다니다 찾기를 포기했다. 길가의 시청사는 참 아름다웠다. 청사 꼭대기에 있는 몽둥이 든 사람과 나팔 든 사람의 동상을 보며 여기엔 어떤 재미있는 역사가 있을까 궁금하기도 했다. 하다못해 거리에 있는 음수대도 그냥 간단히 만들지 않고 멋진 형태의 주조물로 만들어 마치 예술품 같아 보였다. 골목에 있는 집들도 주거 목적 외에 거리의 미관까지 고려해 지었기에 역사가 깊은 도시의 이미지와 잘 어울렸다.

골목을 돌아다니다가 어느 순간 널따란 카스티요 광장으로 오게 되었다. 모든 길은 이 광장으로 연결된 것 같았다. 종일 같이 걷던 사람들이 카페, 정자에서 한적한 시간을 보내고 있었다. 다른 마을처럼 순례자들만 쉬는 곳이 아니라 마을 사람들도 모여 있는 것 같았다. 또 팜플로나가 관광 도시이다 보니 대성당 근처 거리마다 악사들이 많이 있었다. 기타를 치며 노래하고, 팀을 구성해 바이올린과 아코디언으로 낯선 멜로디의 곡들을 연주하기도 했다. 가까이에서 들으면 동전 하나를 던져야 하는데 조금 멀리서 여유 있게 음악을 즐겨도 좋기만 했다.

결국, 물집이 생겼다. 준비를 철저히 한다고 발바닥에 바셀린을 골고루 바르고 물집 방지 패드를 붙여서 이틀 연속 걸어도 생기지 않더니, 발 뒷부분 옆에 하나가 생겨버린 것이다. 먼저 바늘로 물을 빼고 거즈 붕대를 붙여 놓는 처치를 했다. 전날 비가 종일 오고 빨래 말릴 장소도 없었기에, 3일 동안 신은 양말 3켤레가 여전히 축축했다. 다른 여분의 양말이 없어 이 밤중에 어떻게 말려야 할지 걱정이 앞섰다. 양말을 널어놓고 옆에 앉아 시간을 보내자니, 옛날 논산 훈련소에서 훈련 과정을 마치고 자대 배치를 받기 전에 내 옷을 널고 누가 훔쳐갈까 봐 지키고 있던 시절이 생각났다. 그렇게 참으로 단순한 생활이 앞으로 한 달간 지속될 것이다. 책을 읽지 않아도 되고 스마트폰도 와이파이로만 접속이 가능하니 걸을 때는 바깥세상으로부터 오는 모든 소식이 단절된다.

오로지 걷는 일에만 집중할 수 있어서 좋았다. 특히 오늘같이 큰 알베르게에서는 와이파이가 도무지 잡히지 않아 외부 세상과 저절로 단절되는 거나 마찬가지였다. 주방이 없는 알베르게에서는 동행자가 없는 한, 사람과의 대화도 거의 없다. 걷는 것 외에는 그냥 먹고 자는 일만 하는 것이다. 조용히 벽에 기대어 묵상하고 오늘 지나온 길들을 가슴과 머리에 채우는 저녁 시간이 가장 행복했다.

잠자리에 들려고 하는데, 낮에 종일 같이 걸던 이탈리아 부부의 남편이 내 옆 침대에 누우며 자기가 코골이가 심하니 귀를 막고 자라며 손짓으로 알려 주었다. 그리고 그다음 날 길을 가다 다시 만났는데, 내게 마구 손을 흔들며 내 코 고는 소리 때문에 잠을 못 잤단다. 나도 그 사람 코 고는 소리에 잠을 설쳤다는 건 모르는 것일까? 피차일반이었다. 우린 서로 마주 보며 한참을 웃었다.

Buen Camino

팜플로나 → 푸엔테 라 레이나

Day 4 Pamplona

살면서 언제부터인가 걷는 것이 좋아졌다. 나는 주말이면 뜨거운 물을 가득 채운 보온병과 컵라면이 든 배낭 하나를 둘러메고 북한산으로 등산 가는 걸 좋아했다. 종일 콘크리트 벽으로 막힌 사무실에서 일하다가 오랜만에 자연에 나와 산 위에 오르면, 비록 보이는 건 아파트 밖에 없었지만 신선한 공기가 좋았고, 푸르름 속에 내가 있어 좋았다. 그러다가 어느 날 한강변의 산책길을 걸어 본 뒤로 본격적으로 트레킹 코스들을 찾게 되었다. 강화도 나들길을 비롯해 제주도 올레길, 지리산 둘레길 등 비교적 힘들다고 하는 코스들은 죄다 돌아다녔다. 등산처럼 많은 체력이 필요로 하지는 않았지만, 긴 트레킹을 많이 하다 보니 건강이 좋아짐을 느껴 자꾸 욕심이 커졌다. 그러다 프랑스의 기자 출신인 도보 여행가 베르나르 올리비에가 터키의 이스탄불에서 중국의 시안까지 약 12,000km를 걷고 쓴 '나는 걷는다' 라는 책을 읽게 되었다. 이후에 나도 책을 쓰고 싶다는 생각이 들어 그간 써두었던 국내 트레킹 후기들을 모아 '길을 걸으면 내가 보인다' 라는 표제로 2012년에 책을 발간했다. 나는 이 일을 계기로 더 길고 도전적인 트레킹 코스를 꿈꾸게 되었다.

평소와 같이 새벽에 세수를 하기 위해 남녀 공용 화장실을 갔더니 외국의 나이 드신 아주머니들이 내의만 입고 볼일을 보러 나와 있었다. 나는 눈을 어디로 둘지 몰라 속은 안절부절못했지만 억지로 태연한 척했다.

어둠 속에서 랜턴 불빛에 의지해 배낭을 챙기면서 제일 신경 쓰이는 건 '혹시 두고 가는 물건이 있을까?' 하는 걱정이었다. 모든 물건은 내 침대 옆에 있지만 유독 따로 떨어져 있는 것은 휴대폰 충전기였다. 그래서 나는 늘 충전기 밑에 침낭카버를 놓았다. 전기 콘센트가 많지 않으니 먼저 차지하는 사람이 임자였나. 침낭은 꼭 챙길 수밖에 없는 물건이기에 침낭카버를 찾으러 가면서 늘 충전기를 회수했다. 이른 아침에 접수 데스크를 지키고 있는 장애인 오스피탈레로를 보았다.

'몸이 불편하더라도 이렇게 자원봉사를 위해 애쓰는구나.'

순간 뭉클해지는 가슴을 뒤로하고 어둠 속의 도시를 빠져나왔다. 이제까지는 대개 화살표를 보고 방향을 잡았는데, 이곳 팜플로나에서는 보행도로 바닥에 새겨진 금속 가리비를 따라가야 했다. 아직 어두운 길을 걸어가는 한 순례자의 걸음이 아주 부자연스러웠다. 아마 발이나 무릎에 심한 부상이 있는 듯, 한 걸음 한 걸음 움직일 때마다 힘들어했다. 저렇게 하고도 떠나고 싶을까? 이른 시간에 떠나는 것으로 보아 병원을 찾는 것도 아니고, 몸 상태로 인해 천천히 가야 하니 일부러 일찍 나온 것이 틀림없었다.

나는 도심을 걸어갈 때는 일부러 스틱을 쓰지 않았다. 굳이 도심에서 스틱을 사용할 일도 없지만, 스틱 끝의 금속이 딱딱 소리를 내서 곤히 자는 주민들에게 피해를 줄 것 같아 마을을 벗어나서야 사용했다. 아직 잠들어 있는 도심 사이를 지나 한참을 걸었다. 거리를 청소하는 사람들만 간간이 보일 뿐이었다.

내가 걷고 있는 곳은 북위 40도에 위치해서 4월 하순인데도 손이 시렸다. 혹시나 해서 얇은 장갑을 준비했었는데 부족했다. 무언

가 대책을 세워야만 했다. 나만큼이나 일찍 출발한 두 외국 아가씨의 배낭 뒤 작은 주머니가 열려 있기에 알려 주었더니 무척 고마워했다. 덕분에 나도 내 배낭을 다시 점검해보았다. 대개 어둠 속에서 배낭을 챙겨서 나오기에 이런 것에 소홀할 수 있다. 오늘 내 배낭 옆에는 젖은 양말과 속옷이 걸려 있었다. 이렇게 할 수밖에 없지 않은가? 나뿐만이 아니다. 모든 순례자가 다 그렇다. 단체로 다니면 빨래를 모아 세탁기와 건조기로 돌려서 빨래를 말릴 수 있는데, 나같이 혼자 다니는 사람이 빨래 몇 개 정도로 건조기를 20분 넘게 돌리는 것은 민폐가 될 수 있다.

도시의 외곽에는 커다란 대학건물이 있었다. 지나가며 얼핏 표지를 보니 대학에서도 알베르게를 운영하는 것 같았다. 대학이라고 해서 정해진 구역이 있는 것은 아니다. 단지 도심의 거리와 연결된 넓은 잔디 속에 커다란 건물이 있어 학교라고 생각될 뿐이었다.

큰 도로를 벗어나니 갑자기 다른 세상이 펼쳐졌다. 눈 앞에 펼쳐진 노란 유채꽃밭, 이제껏 3일 동안 전혀 보이지 않던 황금벌판이 끝없이 나타났다. 제주도에서 보던 유채꽃밭보다 훨씬 넓은 장관이었다. 나는 그 끝없는 밀밭 사이를 걸었다. 주변은 점점 전원주택이 많아졌고, 동네 아저씨들은 개를 데리고 산책을 하고 있었다.

"부에노스 디아스."

아저씨에게 반갑게 인사를 하자 같은 인사로 받아주었다. 내가 이렇게 스페인어로 인사하면 그들은 상당히 반가워하며 내게 다시 물었다.

"아블로 에스파뇰?" (스페인어 해요?)

"운 뽀끼또" (조금이요)

아주 간단한 몇 마디로 금세 분위기가 좋아졌다. 그러나 그 뒤 그들이 쏟아내는 긴 문장들은 잘 모르겠다. 그냥 대충 알아듣고 "씨, 씨 (네, 네)" 했다. 오전 시간에는 걷는 사람보다 바이크를 즐기는 사람이 더 많아 보였다. 바이크가 속도가 빠르다 보니 그만큼 자주 보여서일 것이다. 밀밭 사이로 가는 길은 외줄기. 녹색과 노란색 사이로 연한 갈색 도로가 길게 이어져 있었다. 녹색과 노란색은 눈과 가슴에 품고, 갈색은 직접 발로 보듬었다.

오늘은 까미노의 상징적인 조형물이 있는 용서의 언덕Alto de Perdon을 올라가기로 했다. 나무 사이의 이정표가 그곳까지 4.3 km 남아 있음을 알렸다. 고도상으로는 팜플로나 출발지보다 약 300m 정도 더 올라가야 하기에 첫날의 어려움을 떠올리고는 힘들까 봐 걱정되었다. 그러나 주변 풍경이 너무 아름다워 감탄사가 터져 나오기 바빠, 걱정은 들어올 틈을 잃어버리고 말았다. 멀리 보이는 산은 낮은 구름에 싸여 있고, 끝없는 밀밭은 심은 시기가 서로 다른 듯 중간에 어떤 부분은 진한 녹색 그리고 어느 부분은 약간 연한 녹색으로 축구 경기장 같은 넓은 선을 그렸다. 그사이 낮은 곳에 집 몇 채가 있는 것이 한 편의 동화 속 그림 같았다.

곧 발바닥이 아파졌다. 국내 트레킹을 할 때도 오래 걸으면 오른발바닥이 아파서 가끔 신발을 벗고 지압해주면 괜찮아지곤 했기에 배수로 둑에 앉아 발바닥을 주무르고 있는데 중국인 순례자가 내 앞을 지나갔다. 이제까지 까미노에서 중국인을 본 적이 없어서 호기심으로 국적을 물으니 호주인이라 했다. 그러니까 호주에 사는 중국인이다. 조금 더 쉬기 위해 자리꿔에구이 마을에서 커피 한 잔을 시키고, 배낭 속에 있던 오렌지로 갈증을 달랬다. 어제 길에서 인사했던 이탈리아의 팔레리아와 프랑스 여자가 오늘도 나보다 늦게 도착해 반갑게 인사했다. 대개 이런 중간 마을의 카페에 앉아 있으면 전에 봤던 사람을 다시 볼 수 있다.

마을 성당에서는 매시, 시각의 숫자만큼 종을 울리고 매 30분마다 한 번 혹은 두 번의 종을 울렸다. 실제로 종을 치는 것 같지는 않았지만 녹음된 소리는 더더욱 아니었다. 혹시 성당 안에 다른 종이 있을까? 다시 벌판 속을 걷다 보니 멀리 길고 비스듬한 산 위에 풍력발전용 바람개비가 연속적으로 세워져 있는 것이 보였다. 용서의 언덕이 저기 보이는 먼 곳인가? 안내지도의 거리상으로는 그다지 멀지 않은 것 같은데 앞으로 이렇게 멀리 걸어야 하나? 어느 정도 올라왔는지 저 멀리 건너편 산의 구름의 높이가 내 눈의 높이와 비슷해졌다. 그 아래 펼쳐진 파란 밀밭과 노란 유채꽃밭 사이에 이어진 도로들. 단순한 구도 속에서 이렇게 감동적인 평화를 느끼게 될 줄은 몰랐다.

어렵지 않게 '용서의 언덕'에 올라설 수 있었다. 이곳은 산티아고 까미노가 매스컴이나 책에서 나올 때마다 대표적으로 보여주는 장소이다. 말을 타기도 하고 걷기도 하는 중세시대 순례자들의 지친 모습을 형상화한 철 구조물이 보였다. 바람에 그들의 머리와 옷들이 휘날리는 모습인지 혹은 지쳐서 쓰러지는 형상인지는 모르겠지만 힘들어 보이는 기색이 역력했다. 이곳은 본래 페르돈 성당이 있던 자리였는데, 성당이 없어진 후 스페인 까미노 연합단체인 '까미노 친구연합'에서 이 구조물을 세웠다고 한다. 구조물에는 '별들이 바람을 따라 흐르는 길을 지나'라는 글이 쓰여 있었다. 이는 은하수가 동쪽에서 서쪽으로 흐르는 것을 일컫는다. 누구나 이 언덕에 서서 구조물을 바라본다면 숙연해지고, 나 자신을 향한 질문들이 떠오를 것이다.

나는 누구를 용서해야 하는가?

나는 누구로부터 용서받아야 하는가?

나는 과연 용서받을 자격이 있는가?

그 사람은 과연 나를 용서해 줄까?

마음속으로 그렇게 생각했다.

별들이 알리라.

바람이 알리라.

지금은 사라진 페르돈 성모가 알리라.

높이 세워진 바람개비들이 그 모든 용서할 것들을 다 날려 보내리라.

용서의 언덕에서 내려가는 길은 온통 거친 바윗길이었다. 용서를 받았으니 마음도 평화로워지고 가벼운 발길로 내려갈 거라 예상했는데, 그와 달랐다. 용서를 지나 세상을 살아가며 더 조심하라는 무언의 뜻인가? 길가 이정표 돌담에 누군가 점퍼를 벗어 돌로 눌러 놓았다. 오랜 세월 동안 순례자들이 하나씩 던진 돌이 커다란 돌무더기가 되었고, 결국 까미노 이정표는 머리만 간신히 보일 뿐이었다. 가파른 언덕을 내려오니 또 노란 유채꽃의 평화가 펼쳐져 있었다.

오늘 아침에 보았던 걸음이 조금 불편해 보이는 건장한 남자와 다시 마주쳤다. 바지의 밑 부분이 낡아서 찢어진 허름한 옷에 얼굴 표정도 무척 지친 모습이었다. 어디서부터 걸었고 어디까지 걸을 것인가? 그러나 그도 틀림없이 산티아고까지 걸을 것이라 확신했다. 일단 길을 나서면 내 발로 가는 것이 아니고 의지로 가는 것이니 발은 그냥 따라만 와 주면 된다. 우테르가 마을 입구에는 성모상이 있었다. 성당도 없이 홀로 서 있는 옆으로 작은 철 십자가도 있었는데, 누군가의 죽음을 기념하는 것이었을 거다.

마을로 들어서는 순간, 나는 강한 눈부심을 느꼈다. 집들의 벽이 모두 하얀 색깔이었고, 도로 바닥도 빛이 반사될 정도로 깨끗했기 때문이다. 귓가에 들려오는 소리는 오직 마을 광장의 급수대에서 끊임없이 나오는 물줄기 소리뿐이었다.

근처에 있는 카페에서의 식사 후 나서는 긴 벌판 길. 저 멀리 언덕 끝까지 길이 이어졌고, 길 끝에서는 점같이 보이는 순례자 한 명이 걸어가고 있었다. 나도 그가 간 길을 천천히 따라갔다. 길을 가는데 풀숲에서 무언가 움직였다. 사세히 보니 새끼손가락만 한 하얀 생쥐였다. 어쩌면 이렇게 같은 동물이라도 나라마다 다를까? 한국의 조그만 달팽이에 비하면 여기 달팽이는 왕달팽이 수준이었고, 검은 민달팽이도 눈에 띌 정도로 유난히 컸다.

벌판을 지나 무루자발 마을에서 보이는 알베르게들은 하루 묵고 싶을 정도로 넓은 정원을 가지고 있었다. 그 앞 거리의 벤치에 앉으니 내가 걸어 왔던 길들이 발아래 펼쳐져 있었다. 오늘 목적지에 늦게 도착하더라도, 이곳에서 시간을 보내고 싶어 배낭을 내려놓고 벤치에 앉았다. 하염없이 건너편 벌판을 바라보고 있으니, 내 얼굴을 아는 순례자들이 여유 부리는 나를 보고 웃으며 인사하고 지나갔다.

얼마 멀지 않은 오바노스 마을로 올라가는 언덕에는, 화살표 대신 길바닥에 가리비로 표시가 되어 있었다. 이 마을은 역사가 얼마 되지 않은 듯, 성당도 최근에 지어진 것 같았고 모든 건물이 깨끗했다. 오붓한 숲길이 끝나는 곳에 조금 큰 알베르게가 순례자들을 반기고 있었으나, 나는 용서의 언덕에서 받은 전단지 의 알베르게를 찾아가기로 했다.

알베르게를 찾아가는 동안 참 고풍스러운 집들을 많이 보았다. 그 앞을 걸어가다 보면 커다란 돌다리를 지나게 되는데 푸엔테 라 레이나, 즉 '여왕의 다리'라는 뜻을 가진 다리였다.

길을 가던 스위스인에게 숙소 위치를 물었더니 자기도 그곳을 찾고 있다고 해서 같이 걷기 시작했다. 알베르게를 찾아 함께 체크인까지 하게 된 스위스인 '조'가 자기랑 같은 2인용 방을 쓰면 20유로인데, 각각 10유로를 내면 어떻겠냐고 권해왔다. 다인실의 9유로보다 1유로를 절약하며 두 명이서 방을 쓸 수 있었지만, 나는 내 코 고는 소리가 그에게 민폐가 될 것 같아 다인실을 쓰기로 했다. '조'라는 이름의 스위스인과 아쉽게도 같은 방을 쓰지는 못했지만, 식당에서 만나 가족 이야기와 취미 이야기, 나라 이야기 등등 참 많은 이야기를 하고 그 후로도 며칠을 같이 다녔다.

마을 중심과 거리가 먼 곳이었던지라 숙소에서 제공하는 10유로짜리 순례자 메뉴를 먹기로 결정했다. 저녁 식사는 고급 레스토랑처럼 절차가 있고, 제대로 격식을 차린 풀코스의 식사라서 오랜만에 대접을 받는 것 같아 좋았다. 같이 묵는 한국 사람들은 그 식사를 신청하지 않았기에 나는 그 테이블 앞에 있는 많은 외국인 중 단 한 명뿐인 동양인이었다. 유난히 나이 들어 보이는 독일 여자가 있어서 나이가 궁금하다 했더니 77살이란다. 놀라웠다. 배낭을 지고 다니는지는 모르겠지만, 인생의 주름이 가득한 얼굴에 은발 머리의 그녀는 웃는 모습이 우아했다. 그들과 함께 하는 저녁 식사가 참 행복했다.

Buen Camino

푸엔테 라 레이나 ➡ 에스테야

Day 5 Puente La Reina

자다가 잠이 깨면 널어놓은 빨래들이 다 말랐는지 확인할 정도로, 나는 어느덧 주부의 마음으로 생활하게 되었다. 아침에 잘 마른 빨래를 입으면 기분이 좋았다. 이 지극히 당연한 일이 얼마나 큰 행복을 주는지, 아마 산티아고를 걸어 본 적이 없는 사람들은 이해하지 못할 것이다.

생장의 순례자 사무실에서 제공한 각 코스의 고도표는 보기에는 높은 것 같아도, 걷는 거리를 생각하면 그다지 높은 것이 아니었다. 어느 구간의 고도가 200m 차이가 있어도 거리가 보통 8~10km 이니, 급경사의 언덕이 아닌 완만한 길을 걷는 것이나 마찬가지라고 할 수 있다. 오늘도 몇 개의 언덕을 넘어야 했다.

전날에 날씨 어플을 확인했을 때는 비가 예보되어 있었으나 아침 하늘이 열리는 것을 보니 비가 올 것 같지는 않았다. 알베르게가 있던 언덕을 내려오면서 다리 건너편에 고요히 잠들어 있는 도시를 바라보고 있자니, 마치 중세의 고성에 와 있는 느낌이었다. 오늘은 나보다 먼저 걷고 있는 순례자들 몇 명이 보였다. 먼저 길을 떠나 걷고 있는 호주의 멜버른에 산다는 부부를 만나 여행의 즐거움에 대해 한참 얘기하며 걸었다. 그가 내게 물어왔다.

"어떻게 긴 시간을 내실 수 있었나요?"

"지난달에 은퇴했습니다."

"나이가 어떻게 되세요?"

"올해 환갑입니다"

"그렇게 안 보이네요."

"이제 내게 남은 것은 넘치는 시간뿐입니다. 그래서 오래전부터 계획한 내 버킷리스트의 2번째 항목을 실천하고 있습니다."

"그럼 첫 번째는 무엇인가요?"

"국내 트레킹 관련 에세이집을 하나 냈습니다."

호주 부부는 반바지 차림으로 걷고 있었는데, 나는 패딩을 입고 있어서 무척 더웠다. 게다가 축구선수용 내의도 입고 있었다. 이번 여행에서 내가 감기에 걸리지 않고 다닐 수 있게 해준 게 바로 이 내의 덕분이라고 생각한다. 얇으면서 땀 배출도 잘 되어서 순례길에서 입기 안성맞춤이었다.

멀리 일출에 붉게 물든 채석장이 보였다. 마네루 마을 초입에서 빵과 커피 구입이 가능한 자판기가 보였지만, 제대로 먹기 위해 지나치고 근처 카페로 갔다. 건물 2층에서 할머니가 문을 열고 내다보고 있기에 '가도 좋으냐' 는 손짓을 보냈더니 8시에 문을 연다고 했다. 시간을 보니 5분 전이었다. 주인은 손님이 가게 앞에 있는 것을 알면서도 정확하게 8시에 문을 열었다.

이 조용한 마을에도 어김없이 공동묘지가 있었다. 업무 출장으로 해외에 자주 다닐 때마다 그 나라의 공동묘지를 본 적이 많은데, 매번 부럽다는 생각이 들었다. 미국에는 공원의 바닥에 간단한 기념패와 작은 글만 적힌 묘지가 있고, 유럽에는 마을 공동묘지에 이름만 적힌 십자가로 대신하는 장묘 풍습이 있다. 왜 우리는 죽어서까지 넓은 땅을 차지하고 산소를 가지려 하는지 안타깝기만 하다. 그것도 집에서 아주 먼 장소에 있어서, 늘 명절 즈음이면 고속도로가 막히는 줄 알면서도 먼 길을 가야 한다.

그렇게 걷다가 문득 눈에 띄게 조합이 이상한 세 사람을 보았다. 나이든 두 명은 뚱뚱한 체격으로 봐서는 이런 장거리를 걷기 힘든 사람들 같았고, 한 명은 건장하고 프로 여행가 같아 보였다. 아마 그 건장한 사람이 나이 든 부부가 산티아고 길을 안전하게 걸을 수 있도록 안내하는 듯 했다. 이 그룹은 그 뒤에도 계속 볼 수 있었다.

당장 눈앞에 보이는 이정표를 보면서 추측해보았더니, 나의 걷는 속도는 대략 한 시간에 4km 정도였다. 이정표 상에 2km 정도 남아 있다는 시라우끼 마을이 보이기 시작했다. 아침의 여명에 반사되어 마치 천상에 떠 있는 낙원을 보는 것 같았다. 그 낙원으로 가기 위해 좁은 길을 걷다가 마을 가까이 오니 길이 넓어졌고, 양옆으로는 이제 겨우 싹이 나고 있는 포도밭이 있었다. 이번 여행에서 처음 보는 광경이었다. 가을에 오면 장관을 볼 수 있으련만, 단지 미래를 예상해볼 뿐이었다.

구불구불한 골목을 벗어나서 넓은 벌판에 들어섰다. 그런데 앞서가던 무리가 갈림길에서 갈팡질팡하고 있었다. 오른쪽은 올라가는 언덕이고 왼편은 내려가는 길인데 그 사이에 이정표가 없었다. 먼저 올라갔던 사람들이 다시 내려오며 그 길이 아니라고 말하자, 이들은 아래쪽으로 내려가면서도 확신이 없는지 걸음을 주춤거리고 있었다. 나도 어디로 갈까 망설이다가 문득, 그 길 가운데 박힌 말뚝에 쓰여 있는 한글을 보았다.

기로에 서다.

아래로 가보겠습니다.

부엔 까미노!

아래가 맞을 것 같네요.

화이팅!

거기가 아니면 다시 쓸게요.

– 16. 3. 29

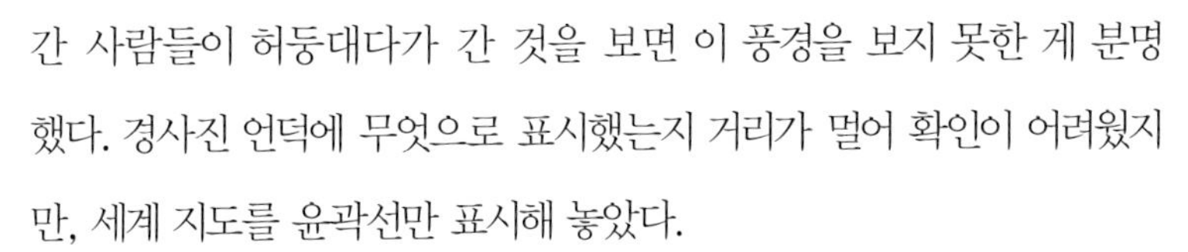

바로 얼마 전에 쓴 글이었다. 마침 뒤에 따라서 오던 프로같이 생긴 순례자가 왼쪽 길이 맞다며 스틱으로 방향을 가리키고 나서는 11시 전방을 바라보라고 했다. 아! 길에 정신이 팔려 하마터면 눈앞에 펼쳐져 있는 멋진 풍경을 그냥 지나칠 뻔했다. 앞서 간 사람들이 허둥대다가 간 것을 보면 이 풍경을 보지 못한 게 분명했다. 경사진 언덕에 무엇으로 표시했는지 거리가 멀어 확인이 어려웠지만, 세계 지도를 윤곽선만 표시해 놓았다.

기념사진을 찍고 내려가다가, 조금 전의 그 갈림길로 돌아와서 작은 돌들을 몇 개 주워 아래쪽 방향으로 화살표를 만들어 놓았다. 나중에 내 뒤를 따라 온 한국 청년이 갈림길에서 망설이다가

돌 화살표를 발견하고 그걸 따라 아래로 내려왔다고 얘기해서 뿌듯함을 느꼈다.

끝없는 평원 길. 이러한 밀밭을 보면 한국 농부가 불쌍하다는 생각이 들었다. 이 넓은 밀밭 어디를 둘러봐도 낮 시간에 일하는 사람을 찾아볼 수 없었다. 한국의 논에서는 지속적으로 피를 뽑아야 하고, 밭둑이나 고랑에서는 끝없이 자라는 잡초를 제거해야 해서 뙤약볕 아래 나가 일하는 건 기본이다. 그런데 여기서는 도무지 그런 일을 하는 농부가 없었고, 밀 사이에 잡초가 있는 것을 거의 보지 못했다. 빽빽한 밀밭 사이로 사람이 지나갈 만한 길이 없는 걸 보면 밀을 수확할 때까지 사람이 들어갈 필요가 없다는 뜻일 것이다. 가끔 그 밀밭 사이로 큰 트랙터를 몰고 지나가는 농부는 보았다.

멀리 로르까 마을이 보였다. 까마득하게 멀어 보이지만, 이젠 그 거리를 가소롭게 볼 수 있는 자만심이 생겼다. '뭐 저 정도야 30분이면 가지' 싶었다. 한국에서는 걸어서 10분 거리의 장소도 차를 가지고 가는데, 그런 편함을 이곳에서는 상상도 할 수 없었다. 눈 앞에 펼쳐지는 풍경을 보자 나는 이런 생각이 떠올랐다.

녹색의 밀밭과 노란 유채꽃 사이를 걷는 순례자들을 보는 평화.
말과 노새가 정답게 머리를 마주하고 풀을 뜯는 그림 같은 평화.
달팽이들이 궤적을 그리며 느리게 이동하고,

목장에서 둔탁한 소리가 나는 방울을 달고 풀을 뜯는 소 떼들.

사람이 앞에 와도 금방 날아가지 않는 새들.

아침에 길을 걸을 때 들리는 초인종 소리 같은 새들의 지저귐.

저녁이면 알베르게에 모여 왁자지껄 떠는 순례자들의 소리.

이 평화가 이곳 까미노에 있다.

아주 오래된 성당 앞에서 잠시 수분을 보충하고 가려는데 마주 오는 사람의 옷차림이 심상치 않았다. 호기심에 "어디서 오느냐"고 물었더니 스페인 땅끝 마을인 묵시아에서부터 걸어오고 있는 중이란다. 프랑스를 거쳐 이탈리아와 터키 그리고 요르단을 지나 예루살렘을 목적지로 7개월 동안 걷겠다는 계획을 가지고 있었다. 벨기에에서 온 미쉘이라는 사람은 배낭에 방수용 커버를 씌우고 그 위에 길에서 만나는 사람들의 싸인을 받고 있었다. 내 이름도 적어 달라기에 나도 그곳에 이름을 적었다.

햇빛이 점점 더 뜨거워지고 있었다. 한 겹씩 벗다가 결국은 너무 더워 내의 하나만 걸치는 신세가 되었다. 나처럼 잠시 쉬며 숨을 고르는 지친 순례자들도 있지만, 풀밭이나 돌 식탁에 앉아 식사를 즐

기고 책을 읽는 순례자의 모습은 순례자들의 여러 군상을 보여주었다. 오늘 묵을 예정인 '별'이라는 뜻을 가진 에스테야 마을은 관광지인 듯 순례자보다 관광객들이 자주 보였다. 길가 순례자들을 위한 음수대 옆에 지팡이를 든 할머니 한 분이 나를 물끄러미 바라보시기에 인사를 드렸더니 조용하게 인사를 받아주셨다. 마을 초입에 있는 아주 오래된 성당 앞에는 관광객들이 모여 가이드로부터 설명을 듣고 있었고, 그 옆으로는 관광객용 코끼리 열차가 지나갔다. 넓은 잔디밭에는 젊은이들이 누운 채로 여유를 즐기고 있고, 그 앞으로는 넓은 에가강이 흐르고 있었다.

숙소에서 만난 스위스인에게 같이 마을을 돌아보자고 제안하여 함께 작은 전시회를 하는 곳에 들어가게 되었다. 펜으로 그린 그림들이 전시되어 있었다. 평범한 것에서 무언가 작가 자신만의 예술 세계를 나타내려 한 것이 보였다. 우리는 서로 알고 있는 빈약한 스페인어 실력으로 작가의 뜻을 유추하기도 하고, 작품 설명을 해석하며 깔깔 웃기도 했다.

숙소 마당의 테이블에서 따스한 햇볕을 받으며 망중한을 즐기고 있는데, 나이 든 일본인이 내게 말을 걸었다. 자신의 이름이 히데끼라며 더듬거리는 영어로 말을 이어나갔다. 감기 들린 목소리로 나이는 74살이라기에 그 건강과 열정이 참 부럽다고 했다. 내 아들이 교사라 했더니 자신도 교사였다며 반가워하고는 자기는 일주일 정도만 까미노를 걸을 예정이란다. 오늘 까미노 중 어느 한국인이 자기에게 빵을 주었다며 사마리탄을 만났다고 좋아했다. 산티아고 까미노를 걸으면 누구나 서로 도와주고 싶은 마음이 생긴다. 서로 격려해주고 걱정해주며 자기 배낭에 있는 무언가를 아낌없이 나누어 주는 순례자의 마음들이 있다. 그래서 행복했다. 여기가 하나님의 나라 같은 낙원임을 느꼈다.

Buen Camino

에스테야 → 로스 아르고스

Day 6 Estella

아직 어두운 새벽. 건물 사이로 보이는 하늘에 보름달이 휘영청 떠 있었다. 그동안 공기가 깨끗한 산티아고를 걸으면서, 밤하늘에서 내가 좋아하는 별을 볼 수 있겠다는 희망을 가지고 있었으나 거의 보지 못했다. 스페인은 밤이라는 시간이 무척 늦게 온다. 인터넷 상으로는 이 지역 일몰시간이 밤 9시 40분이라고 하는데, 한 시간은 더 지나서야 깜깜해졌다. 알베르게는 그 전에 창문과 나무 덧창을 닫고 소등했고 순례자들은 모두 깊은 잠에 빠져들었다. 새벽 여명이 트는 시간에 나와 보아도 별들은 이미 빛을 잃은 상태였다.

나는 로터리에서 길을 찾다가 주유소를 끼고 올라가라는 말이 생각나 방향을 잡았다. 그리고 오늘 코스 중 첫 번째로 식사를 할 수 있는 장소는 약 7km가 넘는 아즈케타에 있다는 것을 미리 확인해놨지만, 거기까지는 너무 먼 것 같아 주유소에 있는 편의점에서 커피와 일반 빵 한 조각으로 아침 식사를 했다. 여기 주유소 편의점에서는 빵도 굽고, 카페처럼 커피도 내렸다.

에스테야에서 2km 지점에 있는 아예구이 동네 언덕으로 올라간 후 조용한 마을 길을 벗어나 이라체 수도원을 향해 걸었다. 이라체에는 와이너리를 가지고 있는 수도원이 있는데, 순례자들을 위해 수도원 담장 밖에 와인을 따라 마실 수 있는 수도꼭지를 설치해 놓았다. 순례자들에게 와인을 무료로 제공해 무척 인기가 있는 곳이지만, 하루에 일정량만 공급하기 때문에 먼저 가야 기회가 있다. 와인을 좋아하는 나이기에 까미노에 오기 전부터 여기는 꼭 들러서 마셔 봐야지 하고 생각했었다.

호젓한 언덕길을 오래 걸어 도착한 이라체 수도원. 반가운 수도꼭지가 보이고 근처에 승용차들이 몇 대 보였다. 보데가스 이라체 상표와 1891년에 세웠다는 팻말이 선명했다. 수도꼭지 밑에는 와인 방울이 맺혀 있었다. 누군가 방금 마신 것 같았다.

'꼭지 밑에 유리잔도 있겠다. 자, 이제 마셔 볼까나.'

기대를 가지고 꼭지를 돌렸는데……. 와인이 안 나왔다. 겨우 한 방울만 톡 하고 떨어졌다.

'아니 벌써 하루 100리터 물량이 동났다는 건가?'

100리터면 큰 생수통 50개 정도인데 벌써 다 소모됐을 리 없었다. 그 옆에 보데가 이라체 와인의 설명이 스페인어와 영어로 쓰여 있었다. 1991년부터 와인을 제공해왔고, 아침 8시부터 저녁 8시까지만 이용할 수 있었다. 내가 너무 이른 시간에 도착한 것이었다. 와인 박물관도 너무 가보고 싶었지만 문이 닫혀 있어 포기했다.

이라체 수도원을 지나자 까미노는 또 다른 환상적인 숲길을 보여 주었다. 나무들이 우거져 만들어진 큰 터널을 통과해 집 한 채 보이는 않는 넓은 벌판으로 나왔다. 아즈케타 마을은 고양이에 대한 무슨 전설이 있는지 마을 곳곳에 고양이 그림이 그려져 있었다.

그리고 이 마을을 지나 멀리 보이는 산 정상에 어떤 건축물이 있었다. 작은 성 같기도 하고 성당같이 보이기도 했다. 언덕을 오르다 보니 몇십 미터 앞에 어제 오후 숙소에서 만난 일본인 히테끼 씨가 앞서가고 있기에 큰 소리로 부르자 나를 반갑게 맞아 주었다. 그와 함께 일본과 한국의 문화와 교육의 현실, 젊은이들의 사고방식 등에 대한 끝없는 이야기를 나누었다.

몬하르딘 마을은 스페인의 레콩키스타가 일어난 전설적인 마을임을 자료를 통해 확인할 수 있었다. 스페인 왕이 에브로 강이 흐르는 에스테야의 비옥한 땅을 이슬람의 왕에게 빼긴 후, 이 땅을 차지하고 스페인 땅에서 이슬람을 내쫓기 위한 거대한 전쟁이 시작되었다. 이 사건을 레콩키스타라고 한다. 만약 여기서 그런 시작이 없었다면 아마 스페인은 지금쯤 터키 같은 이슬람국가 중 하나가 되었을지도 모르고, 까미노는 존재하지 않았을지도 모른다. 우리는 '무어인의 샘' 앞에서 사진을 찍고 서로 이야기를 주고받다가 다른 길로 가는 줄도 몰랐다. 무심코 걷는데, 주민들이 우리 앞을 가로막으며 이 길이 아니라고 알려주었다. 당연히 마을 꼭대기에서 앞으로 갈 줄 알았는데, 바닥에 그려진 화살표는 다시 아래로 향하고 있었다. 둘이 어이없어하며 마주보고 웃었다.

갑자기 빗방울이 떨어졌다. 조금 맞고 가다가 빗방울이 굵어져 얼른 우비를 썼다. 히테끼 씨는 가방을 뒤적이다가 우비를 잃어버린 것 같다며 그냥 비를 맞으며 걸었다. 그때까지만 해도 그가 다른 짐은 다음 마을로 배달하고 작은 배낭만 가지고 다니는 줄 알았는데, 그 배낭이 전부라 해서 깜짝 놀랐다. 이렇게 작은 배낭으로 일주일을 걷는 게 가능하다니. 마침 내가 깔판대용으로 가지고 다니는 우산껍데기를 주었더니, 또 다른 사마리탄을 만났다며 좋아했다. 그러다가 간이매점에서 자기는 천천히 가고 싶으니 나 먼저 가라기에 헤어졌다. 아마 다른 순례자들이 계속 우리 옆을 지나치는 걸 보고 내가 일부러 자기와 보조를 맞추느라 천천히 걷는 줄 알았던 것 같다.

그동안 나를 스쳐 지나갔던 많은 외국인이 한 군데 모여 있는 걸 보았다. 그곳은 다음 목적지인 아르코스가 6km 정도 남아있는 지점이었다. 사람들이 지쳐가는 것을 느낄 때 즈음, 오아시스 같은 간이매점 하나가 자리를 잡고 있는 게 보였다. 트럭을 개조한 카페에서 커피, 맥주와 간단한 음식들을 판매하고 있어 사람들이 몰릴 수밖에 없었다. 이것을 보고 나는 참 궁금해졌다. 왜 이런 목 좋은 자리에 푸드트럭이 하나밖에 없을까? 이곳에 카페를 차리면 생활비 정도는 벌 것 같은데 이것도 허가제일까?

누군가 이정표 위에 등산화를 올려놓았고, 그 안에 또 누군가 노란 꽃과 하얀 꽃을 넣고 옆에는 채색된 계란 하나를 놓았다. 신발이 비교적 낡지 않았고 꽃도 싱싱한 것으로 보아 얼마 전에 올려

놓은 것 같다. 이제 까미노 초반인데 여기에 신발을 버릴 만한 어떤 계기가 있었을까? 갖가지 호기심이 떠올랐다.

로스 아르고스까지 계속 비스듬한 내리막길이 이어졌다. 걷기 편하지만 너무 긴 길이라 사람들이 지쳐갔다. 이 넓은 자연 속에 보이는 사람은 모두 순례자들뿐이었고, 길옆에는 오래된 성채가 그 자리에 벽만 남긴 채 지키고 있었다. 끝없는 벌판길을 걸어 도착한 로스 아르고스. 애초 이곳을 지나 약 8km 지점에 있는 토라 델 리오까지 가려고 했으나 벌판을 걷는 것에 지쳐 그냥 이곳에 여장을 풀었다.

스위스인 조와 히데끼는 아직 보이지 않았다. 시에스타 시간이라 그런지 마을엔 인적이 없었다. 배가 고파 근처 마트에 갔더니, 자신이 만든 피자가 있다고 권하기에 피자 한 조각과 콜라 한 병을 들고 가게 앞에서 먹었다. 그 마트에는 포스터가 붙어 있었다. 포스터에는 반창고를 잔뜩 붙인 두 발바닥이 그려져 있고, 'Sin Dolor, No Hay Glory' 라고 쓰여 있었다. 즉 '고통이 없으면 영광도 없다'는 말이다. 백번 지당한 말이다. 매일 저녁 사람들의 발을 보면, 너도나도 발바닥과 발가락에 붕대를 감고 있었고 핏자국까지 볼 수 있었다. 절뚝거리는 모습도 자주 보았지만, 그 누구도 포기하지 않았다. 아침에 등산화를 신으면 언제 그랬었냐는 듯 다시 뚜벅뚜벅 숙소에서 걸어 나왔다.

산타 마리아 대성당 앞에 레스토랑이 열려 있었다. 사람들은 그곳에서 식사를 했다. 성당 앞 까스티야 문을 지나 큰 강이 흐르는 다리 뒤에 조금 현대적인 마을이 있었다. 자판기에서 맥주를 하나 꺼내 마시고는 천천히 마을을 산책했다. 마을 곳곳에는 기사들의 특이한 석상이 있었다. 주로 산초 4세의 석상인데, 나머지 3면을 모두 다른 병사들로 새겨 넣었다. 어느 곳은 활을 든 병사의 모습과 함께 순례자를 새겨 넣기도 했다. 로스 아르고스가 '활'을 뜻하는 것으로 보아, 활에 관련된 큰 역사가 있는 마을일 것이라고 추정했다.

산책을 하고 알베르게로 돌아오니, 갑자기 못 보던 한국 사람들이 많아졌다. 카톨릭 순례자 그룹이라 했다. 그들이 주방을 점령했다. 한참 뒤 조용해진 주방에서 나와 몇 밤을 같이 지낸 한국 청년들이 만들어 준 파스타를 먹었다. 내가 설거지라도 해야 할 것 같아 그릇들을 정리하다가 주방의 전기 히터 위를 보니, 큰 냄비 바닥에 밥이 눌어붙은 것이 보였다. 다 같이 사용하는 공동주방에서 이렇게 두고 가서는 절대 안 되는 일이었다. 외국인들에게 한국 사람들이 남기고 간 자리가 지저분하다는 인상을 줄까 봐 설거지를 대신 하려다, 냄비에 물만 부으면 누룽지 밥이 될 것 같아 팔팔 끓여 청년들과 후식으로 나누어 먹었다. 그리고 그다음 날 아침에 주방에서 시끄러운 한국말을 들을 수 있었다. 아침에 해 먹으려고 남겨둔 누룽지 밥을 누가 먹었다는 볼멘소리였다. 나는 변명하기 싫어 모른 척했다.

그날 늦은 오후, 숙소에서 쉬고 있는데 갑자기 주인이 사람들을 불러 모았다. 지금 산타마리에 성당에 '일 년에 한번 오는 기적이 일어날 것'이라고 하기에 그 말을 듣고 급히 뛰어나갔다. 회랑 뒤편 성당의 문 위에 성모 조각이 있는데, 저녁 햇살이 까스티야 문 위 작은 공간을 지나 성모의 몸체 쪽으로 서서히 다가오고 있었다. 구름이 잠시 해를 가려 못 보는가 싶어 사람들이 실망하는 듯했다. 그런데 다시 햇살이 구름을 벗어나 아주 짧은 시간 동안 정확하게 성모의 몸 전체 부분만을 환하게 비추더니 금방 빛이 사라져 버렸다. 의도적으로 그렇게 설계했는지는 확실치 않지만, 까미노에는 이런 기적의 전설이 많다. 6번째 날의 밤은 그렇게 깊어 갔다.

Buen Camino

로스 아르고스 ➡ 로그로뇨

Day 7 Los Argos

거의 28km를 걸어야 하는 날이기에, 다른 때보다 조금 더 일찍 일어나 조용히 배낭을 챙겼다. 첫 마을인 산솔까지 무려 7km나 되어서, 먹지 않고 걸으면 허기질 것 같아 알베르게에 있는 자판기에서 빵을 꺼내 배낭에 넣었다. 길은 아직 어두워도 보름달이 떠있어 조금 도움이 되었다. 하지만 어제 아침보다 더 한기가 밀려왔다. 마을 곳곳의 석상들을 손으로 어루만지니 내게 이렇게 속삭이는 것 같았다.

'어둠 속을 걷는 순례자여! 자네 같은 사람을 천 년 동안 지켜보았네.
그 길은 힘들어도 영광과 기쁨이 있고 낙원으로 가는 길이네.
내가 지켜 줄 것이고, 해와 달이, 바람이, 풀잎이 너를 지켜 줄 것이네.
그리고 자네 발걸음을 기억하는 이가 지켜줄 걸세.
부엔 까미노.'

먼동이 트고, 하늘이 열리고 있었다. 검은 대지에 회색빛 구름이 덮여 있다가 붉은 기운이 구름을 조금씩 위로 밀어내고 있었다. 그 벌어진 틈 사이로 아침이 고개를 내밀었고, 내가 떠나온 마을의 불빛들이 점점 멀어져갔다. 길은 일직선으로 뻗어 있어 있었고 옆으로는 이제껏 못 보던 나무들도 보였다. 올리브였을까?

날씨가 환해지면서 노란 꽃이 더 선명해지고 하얀 꽃도 빛을 내고 있었다. 지도상으로 산솔까지는 거의 낮은 언덕이었지만, 지루하게 오르고 내려가기를 반복했다. 도로의 가운데를 하염없이 걸으며 그림자와 동행하는 내 모습을 동영상으로 찍어 보았다. 밀밭에 길게 드리운 그림자가 내가 걸을 때마다 덩실덩실 춤을 췄다. 그러다 보면 또 포도밭의 나뭇가지들도 양팔을 벌려 춤을 추는 것 같았다. 자연과 나는 춤으로 하나가 되었다.

전설에 의하면 이곳을 지나던 순례자에게 악마가 다가와 '부귀영화를 줄 테니 내게 영혼을 달라'고 요구했으나, 순례자가 거부하고 악마와 싸우다가 자신의 그림자를 악마에게 씌워 버렸다고 한다. 악마가 그림자를 뒤집어쓴 채 도망가버리고 그 순례자는 영혼과 몸을 지킬 수 있었다고 한다. 오늘 악마가 오지는 않았지만, 내게 온다면 이렇게 속삭일 것 같았다.

"힘들면 그만두고 자동차로 편하게 이동해서 아늑한 잠자리가 있는 곳으로 가."

혼자 그렇게 공상하며 즐겁게 놀다 보니 시장기도 잊었다. 멀리 낮은 언덕에 마을이 보이는데 저곳이 산솔일까? 아무리 둘러보아도 이 근처에는 마을이 없으니 산솔이 맞을 것 같았다. 산솔에서 다음 마을인 토레스 델 리오는 거의 모퉁이만 돌아가면 될 정도로 지척의 거리였다. 게다가 큰 마을이었다. 템플 기사단이 예루살렘을 본 따 지었다는 커다란 성묘성당이 막 새로 지은 것처럼 눈앞에 우뚝 서 있었다.

마을 안쪽 어느 집 앞에 과일과 초콜릿바를 파는 무인가판대가 있었는데 지나는 사람들이 동전을 놓고 물건을 가져간 듯했다. 동전이 몇 개 놓여 있는 걸 보고, 갑자기 순례자 중에 이것을 그냥 가지고 가는 사람이 있을까 하는 궁금증이 일었다. 이른 아침인데도 동전이 좀 있는 것을 보면 어제부터 있던 것일지도 몰랐다. 언덕길로 올라가는 길옆에 사람들이 자신의 소망을 적어 돌로 눌러 놓았다. 한 사람이 하면 마치 유행이 퍼지는 것처럼 너도나도 따라 했다. 결국 그 소망의 언덕에는 수없이 많은 소망 쪽지가 돌에 눌려 있었다. 나도 내 스탬프를 찍은 포스트잇을 놓았다.

그 언덕을 넘어 내려가는데 길가에 돌로 얼기설기 만들어 놓은 굴이 있어 무엇인지 가만히 생각해 보았다. 이전에는 순례자들이 노숙했을 테니 그런 편의를 위해 만들어 놓은 것 같았다. 문득 앞서 가는 젊은 외국인의 배낭에 텐트가 달린 것을 보고 캠핑하느냐고 물었더니, 텐트를 가지고는 왔는데 아직 한 번도 사용해보지는 않았단다.

모퉁이를 돌아가니 먹을 것과 마실 것을 파는 간이천막카페의 벽에 전 세계의 언어로 적힌 낙서가 있었다. 그중 한글로 된 말도 몇 개 보였다. '힘을 내요 슈퍼파워', '7km 남았어?', '부엔 까미노' 누군가는 순례자 모습의 그림에 날개를 달아 놓기도 했다. 어느 곳에서는 작은 돌탑을 쌓아 놓았는데, 이것도 전염병인 듯 너도나도 줄을 이어 작은 돌탑들을 쌓았다. 까미노를 걸으면서 이런 것들을 참 많이 보았다. 마치 순례자의 의무인 것처럼…….

이후부터는 밀밭보다 포도밭이 더 많이 보이기 시작했다. 이곳 리오하 지방의 와인이 맛있다는 얘기를 들은 바 있었다. 포도밭에도 농사짓는 사람은 별로 보이지 않았고, 가끔 이용하는 것 같은 농기계는 볼 수 있었다.

멀리 보이는 다음 도시는 비아나였다. 성벽이 많고 성당과 수도원이 다른 곳보다 더 커 보여서 마치 거대한 성 같았다. 이곳에서는 현대를 사는 사람도 늘 중세의 건물 속에 살고 있는 것 같을 테니 어떤 마음일지 자못 궁금했다. 생활에 불편함은 없을까? 문화재를 보호하기 위해 자신의 집수리도 허가받고 공사하는 법이 있지 않을까하는 생각도 들었다. 오랜만에 아이들이 학교 운동장에서 재잘거리며 노는 소리가 귀에 들려왔다. 길거리에 사람들이 여기저기 많이 있고, 노인들도 거리 의자에 앉아 시간을 보내기도 하는 장면을 보니 정말 사람 사는 마을 같았다. 그다지 크지 않은 공공건물 근처에는 넓은 잔디밭과 피크닉을 할 수 있는 나무테이블이 있어 순례자도 동네 사람들도 개를 데리고 나와 쉬고 있었다. 나도 너무 일찍 목적지에 도착할 것 같아 배낭을 내려 놓고 신발을 벗은 뒤 햇빛의 따스함을 즐겼다.

로그르뇨에 가까워질 때 긴 소나무 숲을 지나왔다. 마치 내가 한국에서 즐겨 가는 강화도 나들길을 걷는 기분이었다. 도로 위에 순례자들이 건널 수 있도록 나무 육교를 만들어 놓았다. 날씨가 좋아지면 사람들은 무거운 등산화보다는 샌들 등산화를 신고 걷기를 좋아한다. 그런데 샌들 등산화는 가끔 작은 돌이 신발 안으로 들어와 불편할 때가 있다. 이번 여행에 샌들 등산화를 가지고 올지 말지 무척 고민하다가 그것도 짐이 될까 걱정되어 포기했었다.

숲에서 아주 오래된 까미노 이정표를 발견했다. 거의 몇백 년은 되어 보였다. 돌에 직접 새겨 넣은 가리비 표시가 풍상에 많이 마모되어 있었다. 그 이정표를 손으로 어루만지니 깊은 감회가 느껴졌다. 비아나에서 로그르뇨까지 거의 10km에 달했는데, 이 거리를 오는 동안 순례자를 위한 아무런 시설도 없었다. 커다란 공장지대를 지나니 햇볕이 뜨거워 무언가 달콤한 것을 마시고 싶고, 화장실도 가고 싶었지만 도무지 적당한 곳이 없었다. 어쩔 수 없이 주변에 사람들이 없는 틈을 타 얼른 방뇨하는데 바이크를 즐기는 순례자들이 내 옆을 쏜살같이 지나갔다. 멍해지는 순간이었다.

시골길을 벗어나자 큰 길이 나타나고 노란 화살표가 실종되었다. 아마 같은 방향으로 진행하라는 뜻일 것이다. 알베르게를 찾아야 했다. 도시 입구에서 까미노 안내 사무실이 보여 들어가니, 예쁜 자원 봉사자들이 환하게 웃는 얼굴로 반겨주었다. 도시 지도를 받고 자원 봉사자들에게 기념으로 사진하나 같이 찍자고 권했더니 좋아하며 포즈를 취해주었다. 안내받은 숙소로 찾아가는데 에브로 강을 건너는 다리 위에서 허름한 복장의 남자가 비틀거리는 걸 보았다. 손에 팩 와인 하나를 들고 있었는데 노숙자 같았다. 이곳은 노숙자도 길을 가며 와인을 마시는 곳이었다. 안내사무소에서 알려준 숙소는 썩 괜찮은 현대식 건물이라 베드버그가 없을 것 같았다. 정원에 작은 분수대도 있어 사람들이 편하게 쉴 수 있었다.

식당에서 순례자 메뉴를 시켰더니 마실 것으로 물, 와인 중에 선택하란다. 와인을 시켰더니 레이블이 없는 자체 생산한 와인 한 병을 가져다주었다. 생수 한 병 값이나 와인 값이나 가격이 동일한 모양이었다. 샐러드로 멜론에 하몽을 얹어 맛있게 먹고 난 뒤, 양고기 마니아인 내가 좋아하는 양고기 스테이크가 나왔다. 그다지 두텁지 않아 맛이 좋았다. 혼자 와인 한 병을 다 마시고 기분이 좋아져 숙소 정원 벤치에 앉아 쉬다가 거기서 그만 잠에 빠져들고 말았다. 아는 순례자들이 나보고 코까지 골며 잘 자더라고 웃으며 얘기했다. 낮잠 때문인지 그날 밤은 잠을 설쳤다.

Buen Camino

로그르뇨 → 나헤라

Day 8 Logrono

나는 길을 걸으며 늘 사물을 유심히 관찰하며, 주변의 변화에도 상당히 민감한 편이다. 작은 소리 하나, 벌레들의 움직임, 바람의 움직임 그리고 사람들의 표정까지 눈여겨보며 걷는다. 사람들이 내 글을 읽으면 마치 같이 걷고 있는 것 같다는 이야기를 자주 한다. 굳이 글을 쓰기 위해 관심을 두는 것도 있지만, 일부러 그러지 않더라도 모든 사물에 눈길이 가는 것은 자연에 대한 사랑 때문일 것이다.

로그르뇨 시내를 통과하는데 도시가 크다 보니 30분이나 걸렸다. 도심 한가운데 젊은 순례자들의 동상이 있는데 배낭이 작은 것을 보고 고증이 잘 못되었다는 것을 알았다. 로그르뇨에서 다음 마을인 나바레테까지는 무려 12km가 넘었다. 작은 공원의 긴 벽을 따라 순례자를 의미하는 일러스트 그림이 있어, 이 도시가 순례자에게 얼마나 중요한지 알 수 있었다. 여기 나헤라 지방의 순례자 이정표 가리비는 다른 지역과 조금 다른 모양이었다. 우리가 보기에는 이 복주머니 같은 모양의 가리비가 더 친근하게 느껴질 것이다.

다시 벌판으로 나왔다. 새들이 도심보다 더 지저귀고 있었다. 길가에 큰 다람쥐가 쪼르르 달려와 멈추기에 카메라를 들이댔더니, 얼른 나무 위로 도망가 숨어 버렸다.

하늘 끝까지 올라간 포플러나무가 열을 지어 있었다. 이른 아침에 걷는 이는 나밖에 없었다. 오로지 나를 위한 길이고 나 하나만을 위한 나무들의 열병 같았다. 늘 늦게 떠나는 순례자들은 아침에 일찍 걷는 기분과 새벽공기의 상쾌함을 알 수 있을까? 누군가 그런 기분을 아는건지 길바닥에 큰 핑크 하트를 그려 놓았다. 나도 까미노를 사랑한다.

조금 올라가니 오리들이 놀고 있는 큰 저수지를 만났다. 건너편 낮은 산의 모습이 저수지에 투영되어 멋진 데칼코마니 그림이 만들어졌다. 여기 로그르뇨 주민들은 얼마나 행복할까. 공원도 넓고, 넓은 저수지와 산책로도 정비가 잘 되어 있고, 군데군데 앉아서 쉴 자리도 충분했다. 어디에도 쓰레기가 버려진 곳은 없으며 쓰레기통 주변도 깨끗했다. 잔디가 뭉그러진 곳도 없었다. 그러다 재미있는 사람을 보았다. 자신의 자동차에 순례자 그림을 그려 놓고, 목조로 만든 쉼터에서 각종 까미노 기념품을 팔고 있었다. 얼굴은 온통 긴 흰 머리로 덮여 있고, 흰 수염도 길게 길러 완전히 산속 도인의 모습이었다. 나에게 자신이 만든 스탬프를 찍어 주고는 방명록에 한 줄 써 달라기에 내 스탬프를 꺼내 찍어 주었다.

언덕을 오르자 놀라운 광경이 펼쳐졌다. 고속도로변 철망 사이사이에 순례자들이 잔가지 나무를 꺾어 만든 십자가 모형이 끼워져 끝없이 이어지고 있었다. 이제껏 이렇게 많은 십자가를 본 적이 없었다. 순례자들이 지루한 길 위에서 자신의 마음을 십자가로 표현한 것이다.

그 길은 목재소 앞을 지나게 되는데 순례자들은 목재소 주변의 얇은 합판 조각들을 주워 더 크고 더 뚜렷한 십자가를 만들어냈다. 나 또한 마른 나뭇가지를 꺾어 내 마음의 십자가를 만들어 걸었다.

누군가 길 위에 SUNSHINE이라고 돌로 긁어서 써 놓은 걸 보고 내 입에서는 존 덴버의 노래 'Sunshine'이 저절로 흘러나왔다. 어떤 상황에서든 주위에 내가 좋아하는 가사와 맞는 사물이나 환경이 있으면 나는 노래를 흥얼거리는 습관이 있다. 카페에서 커피 한 잔을 마시는데, 늘 보던 외국인 순례자가 까미노를 걸으며 내가 흥얼거리는 노래를 들어 좋았다며 내게 친근감을 표시했다.

길가의 큰 건물은 와이너리인 것 같았다. 그 앞에 '라 리오하' 레이블이 부착된 커다란 와인병 모양이 전시되어 있었다. 철망 안에 있어서 만져보지는 못했지만 나는 갑자기 군침이 도는 걸 느꼈다. 까미노를 걸으면 거의 매일 와인을 마시게 된다. 식사를 할 때 항상 와인이 있고, 내가 사서 마시거나 까미노 친구들과 함께 마시기도 한다. 이곳에서의 와인 가격은 무척이나 저렴했다. 약 5,000원 정도면 훌륭한 템프라니요 와인을 고를 수 있었다. 조금 아쉬운 것은 와인의 품종이 다양하지 않다는 것이다. 한국에서는 전 세계의 와인이 수입되어 카베르네 소비뇽, 쉬라, 말벡, 까르미네르, 메를로, 피노누와 등 많은 품종의 와인을 고루고루 즐길 수가 있는데, 이곳 마트에서 수입 와인은 거의 보지 못했다.

문득 그 와이너리 앞에서 산티아고가 576km 남았다는 표시를

보고 이해할 수 없었다. 우리가 7일째 걷고 있으니 적어도 600km 이상이 남았을 텐데, 숫자가 많이 모자란 것이었다. 아마 산티아고 데 콤포스텔라 성당을 가기 전, 산티아고 지방까지 가는 거리를 계산한 숫자 같았다. 어쨌거나 기분은 좋았다. 까마득하게 생각되던 800km 거리가 갑자기 500km대로 줄었으니 힘이 났다.

빠르게 지나치는 바이크 순례자가 걷는 순례자 무리 사이를 지나갔다. 그는 장갑 한 짝을 흔들며 '누구 것이냐'고 물었다. 떨어진 장갑을 주워온 것이다. 이렇게 친절한 순례자들을 보면 마음이 절로 따뜻해졌다.

나바레테 마을을 지나면서부터는 바람이 부는 밋밋한 황무지 길이 계속되었다. 대부분 포도나무 고목이 심어져 있는 정감 있는 길이었고 옆에 나무들도 야생으로 자란 나무들뿐이었다. 그때 개 두 마리를 데리고 다니는 젊은 순례자 커플이 무척 고생하고 있는 걸 보았다. 목줄이 없는 채로 개를 데리고 다녔는지, 개가 밭 가운데로 도망가 버린 것이었다. 이름을 불러도 오지 않자 서로 안타까운 표정을 지었다. 이 두 사람은 개 때문에 야영을 하는지 텐트를 가지고 있었고 장비들은 카트에 담아 끌고 다녔다.

사람들의 지친 얼굴이 다시 눈에 띄기 시작했다. 절뚝거리는 사람들도 표정 없이 걷고 있었다. 다행히 나는 물을 충분히 가지고 다녀서 갈증을 느껴지지는 않았다.

나바레테에서 나헤라까지 무려 17km. 중간에 벤토사라는 작은 마을에서 점심으로 시킨 또띠야 햄버거가 혼자 먹기엔 사이즈가 너무 컸다. 남은 것은 포장을 부탁해서 배낭에 챙겼다. 가이드의 리드로 걷는 나이 든 부부도 다시 만날 수 있었다. 키 작은 부인이 아바의 유명한 노래 '맘마미아'를 흥겹게 부르며 걷고 있었다. 내가 따라 부르며 인사하니 더 신나게 불렀다. 처음에는 힘들어 보여 얼마 못 가서 그만둘 줄 알았는데, 걷는 속도만 느릴 뿐 일정은 나와 같이 소화하고 있어 놀라웠다. 길을 가다 본 또 다른 산티아고 이정표는 아까 와이너리 앞에서 본 거리보다 더 멀어져 어느 것이 맞는지 혼돈이 생겼다.

다시 황량한 벌판길로 들어섰다. 포도나무 뿌리와 가지를 모두 캐내어 쌓아 놓은 것을 보니, 포도나무도 수명이 있는 듯했다. 눈에 보이는 건 전부 포도밭이었다. 이제까지는 일하는 농부는 전혀 못 봤었는데, 한 명의 농부가 포도나무의 가지를 잇는 이음줄을 손보는 것을 처음 보았다. 이전에도 느낀 것이지만, 왜 포도를 이렇게 척박한 땅에서 키우는지 이해가 가지 않았다. 거의 모든 포도밭에 자갈이 많고, 부드러운 흙이라고는 도저히 볼 수 없을 정도로 모든 밭이 거칠었다.

마을까지 거의 4시간 동안 걸어야 하는 긴 거리를 거쳐 겨우 도착한 나헤라. 당연히 공립 알베르게를 먼저 찾았지만 자리가 없다는 말을 들었다. 어디로 가야 하나 암담해졌다. 이 골목 저 골목을 혼자 돌아다니며 동네 사람들에게 물어 조금 떨어진 알베르게로 찾아가니 공립 알베르게에 들어가지 못한 사람들이 모두 거기 있었다. 짐을 풀고 있는데 오스피탈레로가 나를 불렀다. 한국인 부부가 영어를 전혀 몰라 나보고 통역을 좀 해달란다. 이 알베르게에는 큰 방이 하나밖에 없었는데, 대충 침대 수를 계산해 보니 한 방에 무려 100명 정도 자는 것 같았다.

날씨가 너무 좋아 대부분 편하게 옷을 입거나 웃통을 벗고 알베르게 앞에 나와 일광욕을 즐겼다. 오늘 모두 너무 힘들었을 것이다. 저녁 식사를 위해 나선 골목에서 정육점을 발견하고 삼겹살을 샀다. 가격이 정말 쌌다. 마침 대한항공 기내용 고추장을 챙겨 둔 것이 있어 마늘을 사고, 삼겹살과 와인을 곁들이니 최고의 만찬이 되었다. 그리고 내 입에서 냄새가 날까 봐 식사 후 얼른 양치질을 했다. 주방에 한국인 젊은 부부가 침이 꼴깍 넘어갈 만한 한국 라면과 불고기를 해 놓고는 내게 먹으라며 권했다. 이 부부는 겸손하고, 부인이 늘 웃으면서 이야기해서 참 기분 좋은 커플이었다.

맞은편 큰 식탁에서 채식하는 이에게 국적을 물었더니 인도인이라기에 내가 놀라서 "어떻게 기독교인들이 주로 오는 길을 걷게 되었느냐" 물었더니 기독교인이라는 답이 돌아와서 한 번 더 놀랐다.

인도 첸나이에 살고 있으며, 한국의 조용기 목사님을 알고 있었다. 직장 다닐 때 업무차 가 본 적이 있는 첸나이는 예수님의 열두제자 중 도마의 유해가 묻힌 곳으로, 그곳에 교회가 세워져 있었다. 열두제자 중 유해가 있는 곳에 교회가 세워진 곳이 3곳이 있는데 로마의 베드로 성당, 인도 첸나이의 토마스 성당 그리고 야고보의 유해가 있는 산티아고 데 콤포스텔라의 대성당이다. 나도 기독교인이라며 내 스탬프를 찍은 쪽지를 주었더니, 길에서 내 스탬프를 봤다며 반가워했다. 그에게 선물을 주었더니 나와 사진을 같이 찍자며 큰 카메라를 들이댔다. 까미노 후, 그는 같이 찍은 사진과 함께 헝가리의 부다페스트에서 전도하고 있다는 소식을 메일로 전해 왔다.

자다가 누군가 내 코 고는 소리가 불편했는지 나를 툭 건드리는 것이 느껴졌다. 그러거나 말거나 나는 깊은 단잠에 빠져들었다. 자다가 문득 빨래가 걱정되어 나가보니 누군가 내 빨래를 걷어 실내에 널어놓았다.

행복한 까미노. 길이 좋고 사람이 좋다.

Buen Camino

나헤라 ➡ 산토 도밍고

Day 9 Najera

스페인어로 일요일을 '도밍고'라 한다. 그리고 오늘 도착 예정인 곳의 이름이 산토 도밍고이다. 성악을 좋아하는 내게 도밍고라는 이름은 너무나 친숙하다. 나는 그 유명한 성악가 플라시도 도밍고의 화려한 목소리가 들릴 때마다 하늘을 날 것 같은 기분이 든다. 물론 오늘 목적지가 그 도밍고와는 관련이 없겠지만, 나름대로 의미를 부여해 보았다. 내가 좋아하는 곳을 간다는 사실에 들뜨기까지 했다.

산토 도밍고까지는 그다지 멀지 않은 거리여서 조금 늦잠을 자려 했지만 습관적으로 일찍 눈이 떠졌다. 알베르게가 코스와 조금 떨어진 곳에 있어 길을 찾지 못하면 어쩌나하고 걱정했는데, 다행히 까미노 코스를 찾아가는 골목마다 화살표가 그려져 있어 실수는 없었다. 가파르고 거친 황무지 언덕을 오르니 긴 일직선 길이 나왔다. 이곳 사람들은 조그만 자투리땅만 있으면 포도나무를 심었다. 이제 본격적으로 포도가 유명한 지역을 지날 예정이었다. 내가 가야 할 길이 끝이 안 보이는 지평선이라 벌써 기가 죽는 것 같았지만, '이쯤이야 많이 겪었으니 별거 아니다!' 생각하며 룰루랄라 노

래를 흥얼거리며 걸었다. '피레네 언덕을 올라가는 것보다야 낫지' 하며 마음을 잡고 걷는 하늘엔 구름만 가득 껴있었다. 비가 오려나 싶었다.

먼저 가던 앞사람이 왼쪽 옆길로 꺾어서 갔다. 가까이 가서 보니 얼핏 화살표가 그쪽으로 꺾어진 것 같아서 따라가다 문득 이상한 느낌을 받았다. 이 길이 까미노 길이라면 바닥에 흙이 잘 다져 있을 텐데, 지금 내가 걷고 있는 길은 사람들이 별로 안 다니는 길이라는 것을 직감으로 알 수 있었다.

아니나 다를까. 앞서가던 사람들이 마주친 갈림길에서 이정표가 없다며 우왕좌왕하고 있었다. 결국 한 팀은 왼편으로 가보고, 한 팀은 오른편으로 가 보기로 했다. 나는 아무래도 아까 길이 직선 길이었으니 오른편 길이 맞는 것 같아 가봤더니, 저 앞에 다른 순례자들이 가는게 보여 내 짐작이 맞다는 것을 확신했다. 같이 가던 외국인 여자가 반대편 쪽으로 간 사람을 찾으려고 왔던 길로 되돌아갔다.

누군가 길에 순례자를 뜻하는 Peregrino를 Perrogrino 라고 표현해 놓았다. 내가 알기로는 Perro는 '미친개' 를 뜻하는 말이다. 하긴 우린 다 미쳤다. 개만 아닐 뿐이지, 단지 곱게, 성스럽게 그리고 열정적으로 미쳤을 뿐이다. 고속도로 옆길로 걷는 사람들이 제법 많아졌다. 그중 눈에 뜨이는 사람의 뒷모습을 보니 한쪽 다리 절뚝거리며 양손을 주머니에 찔러 넣고 걷고 있었다. 아하! 누군지 떠올랐다. 어제 알베르게에서 요리한다고 칼로 감자를 깎는데 손이 조금 불편해 보이던 사람이었다. 약간 중풍이 있어 보였지만 심한 것 같지는 않았다. 정말 대단한 의지다. 새삼 존경스러웠다.

거대한 밭에 포도나무들이 일직선으로 정렬해 있고, 옆에 물을 끌어올려 보내는 수로관이 보였다. 이런 것을 보면서 사람이 별로 없어도 농사가 잘되는 것은 기본 인프라를 잘해 놓았기 때문이라는 생각이 들었다. 밀은 파종이나 급수와 수확까지 모두 기계로 했다. 어느 유튜브 영상에서 요즘은 포도 수확도 사람이 하지 않고 기계가 하는 것을 본 적이 있어 여기로 이민 와서 농사나 할까 싶었다. 포도나무에서는 이제 조금씩 싹이 나고 있었다. 가을쯤 되면 이 길을 걷는 기분이 상당히 좋을 것 같았다. 끝없는 밀밭 길, 포도밭 길 그리고 카놀라유를 만드는 유채꽃밭. 전 세계에서 판매하고 있는 템프라니요 와인과 카놀라유는 모두 이곳에서 생산되는 것은 아닐까 하는 생각마저 들었다. 문득 제주도에서 일하던 할머니들이 생각났다. 햇빛 아래 챙이 넓은 모자나 수건을, 그리고 엉덩이에 둥근 쿠션을 받치고 밭에 일렬로 쪼그리고 앉아 호미로 취나물을 캐고, 귤밭에서는 많은 사람들이 들어가 가위로 하나하나 수확하는 한국 농업의 현실이 측은하다는 생각이 들었다.

아조프라 마을에 도착해 아침을 먹고 있는데 사람들이 몰려들었다. 가끔은 이런 번잡함과 시끄러움이 좋다. 마을에 집이 많지는 않지만, 마당에 나무로 예쁜 조각품들을 만들어 놓은 곳이 많아 보는 것만으로도 기분이 좋아졌다. 하다못해 마을의 작은 쉼터로 들어가는 곳에도 나무로 정감 있게 장식해놓아서, 인적이 드물긴 해도 주민들이 순례자들을 배려하는 동네 같았다.

시루에냐로 향하는 청명한 하늘길에 커다란 십자가 모양의 묘한 비행운이 만들어져 있어 사진을 찍었다. 다른 사람들도 모두 하늘에 대고 셔터를 눌러대고 있었다. 멀리 노란 언덕이 보였다. 저기까지만 가면 길에 변화가 있을까. 공포의 메세타 평원 까미노는 아직 멀었다. 뜬금없이 긴 길 가운데에 나무 막대기로 된 화살표가 있었다. 가끔 세워놓은 길가 이정표에 산티아고까지의 거리가 조금씩 줄어드는 것을 보니 기분이 좋았다. 언젠가는 500단위가 400, 300, 200, 100단위대로 내려갈 것이다.

벌판을 바라보았다. 어떻게 이렇게 벌판의 색깔이 정확하게 이분되어 있을까? 파란 하늘 아래 보이는 색은 노란색 아니면 초록색이었다. 참 심플한 아름다움이었다. 얕은 내리막길에서 두 명의 외국인이 양손에 주먹만 한 돌을 들고 내리막길을 지그재그로 뛰면서 조금씩 내려가는 것이 보였다. 당시에는 몰랐는데 나중에 그게 체력적으로 편해지는 방법인 걸 알게 되었다. 등산할 때도 내리막길을 천천히 내려가면 이미 지친 다리가 올라갈 때보다 더 아픈데, 조금씩 뛰어 내려가면 다리에 부담이 덜하다.

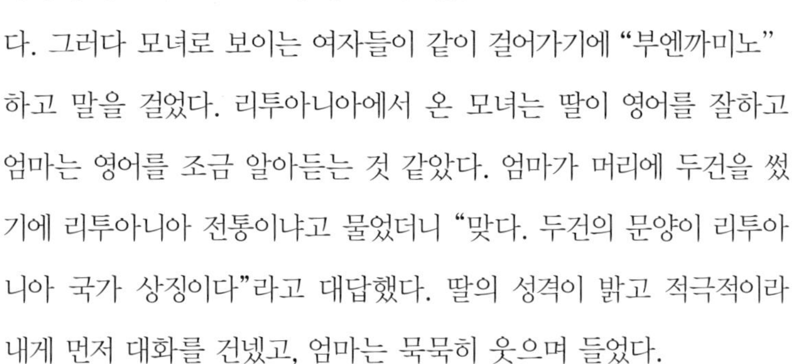

아주 멀리 산토도밍고 마을이 보였다. 누군가 이정표 위에 슬리퍼를 벗어 놓았다. 등산화를 올려놓는 것은 자주 보았어도 쓸 만한 슬리퍼는 처음 보았다. 누군가 쓰라는 뜻인지, 바람에 날아가지 않도록 돌로 눌러 놓은 상태였다. 그러다 모녀로 보이는 여자들이 같이 걸어가기에 "부엔까미노" 하고 말을 걸었다. 리투아니아에서 온 모녀는 딸이 영어를 잘하고 엄마는 영어를 조금 알아듣는 것 같았다. 엄마가 머리에 두건을 썼기에 리투아니아 전통이냐고 물었더니 "맞다. 두건의 문양이 리투아니아 국가 상징이다"라고 대답했다. 딸의 성격이 밝고 적극적이라 내게 먼저 대화를 건넸고, 엄마는 묵묵히 웃으며 들었다.

산토 도밍고 마을에 도착하자마자 제일 먼저 보이는 건 '닭' 그림이었다. 이곳에는 이런 전설이 있다.

15세기에 독일 청년이 부모님과 산티아고 순례길을 걸었다. 어느 마을에서 알베르게의 아가씨가 청년에게 반해 사랑을 고백했지만 청년은 거절했다. 상심한 아가씨는 청년이 돌아갈 때 배낭에 은잔을 하나 넣어 두고, 떠나간 뒤에 절도범으로 고발해버렸다. 재판에서 청년은 교수형을 선고받고 사형을 당했다. 절망에 빠진 부모가 산티아고 성인에게 기도하며 순례를 계속하던 중 '산티아고의 자비로 아들이 살아 있다'는 하늘의 음성을 들었다. 이에 급히 되돌아가 식사하고 있는 마을 재판관에게 사정하며 "아들이 살아 있으니 살려 달라"고 애원했다. 재판관이 닭고기 요리를 먹다가 그 청원을 듣고 "당신의 아들이 살아 있다면 이 닭도 살아 있겠구려" 라고 빈정대며 말하자 갑자기 그릇 안에 있던 닭들이 살아서 날개를 푸드덕거리며 날아갔다. 이에 놀란 재판관이 형장에 나가 확인해 보니 아들이 아직 살아 있었다. 그렇게 부모님과 아들은 함께 무사히 순례를 계속할 수 있었다.

그래서인지 이 마을에는 닭에 대한 상징이 많다. 집집이 닭 문양을 대문에 그려 넣기도 하고, 순례자가 닭을 들고 서 있는 철판 모형도 있어 사람들이 그곳에 머리만 집어넣고 재밌는 사진을 찍을 수도 있었다. 또한 매년 4월 25일이면 닭의 축제가 열린다. 이틀만 일찍 왔어도 멋진 구경을 할 수 있었을 터인데, 기회를 놓쳐서 아쉬움이 컸다. 집들은 모두 몇백 년이 됐음직한 대문을 그대로 가지고 있었다. 그 대문을 열면 그 안에 새로 만든 걸로 보이는 대문이 있었다. 노크를 할 수 있는 여러 가지 모양의 쇠장식이 달려 있어 우리네 한옥 대문의 문고리가 생각났다.

새로 지은 듯한 집의 외부에는 여전히 오래된 나무 기둥이 버티고 있었기에 이런 자재를 써도 건축 허가가 나는지 궁금하기도 했다.

산토 도밍고의 대성당 옆에는 넓은 광장이 있었고, 근처에 우체국 건물도 있었다. 그런데 광장 바닥을 보니 이제까지 보던 마을의 도로 바닥과 달랐다. 넓적한 돌을 비스듬히 세워서 바닥에 촘촘히 박아 놓았다. 이렇게 수없이 많은 돌을 어디서 구했을까? 유럽을 돌아다니면 참 흥미로운 것이 골목이나 광장 바닥을 콘크리트도 포장하지 않고, 대부분 작은 돌을 촘촘히 박아 놓아 만들었다는 점이다. 그 길로 오랜 세월동안 많은 차가 다녔을 텐데도 돌이 패이거나 상한 것을 보지 못했다.

이곳에 위치한 공립 알베르게는 4층으로 된 현대식 빌딩으로 시설이 참 좋았다. 샤워실도 넓어서 편했고, 큰 주방과 각종 주방기기, 식당 그리고 편히 쉴 수 있는 응접실이 있었다. 그리고 제일 좋았던 점은 건물 내 어디서나 와이파이가 잘 터져서 혼자서도 심심치 않게 시간을 보낼 수 있었다는 것이다.

늦은 점심으로 혼자 식당에서 빵을 먹고 있었다. 오스피탈레로가 내게 호의를 베풀어 건네준 와인 밑바닥을 보니 찌꺼기가 약간 남아 있었다. 그래도 그의 친절이 좋았다. 식당에서 처음 만난 한국인 부부 중 남자가 자판이 분리되는 노트북으로 하루의 여정을 글로 쓰고 있어 부러웠다. 나도 글을 쓰기 위해 노트북을 가지고 올지 말지 고민하다가 결국 배낭 무게 때문에 포기했다고 얘기했더니, 글을 쓰는 것이 목적이라면 힘들어도 가지고 다니는 게 맞는 거라고 말해왔다. 하지만 내 까미노 목적은 글 쓰는 것이 아니라고 생각했다. 알베르게 거실에서 쉬고 있는데 늘 길에서 혼자 걷던 호주 아가씨가 보였다. 어느 때부터인가 키 작은 이탈리아 남자와 같이 걷는 것을 종종 보았는데, 이제는 둘이 노골적으로 정다운 포즈를 취하고 서로 안마를 해 주고 있었다. 이 또한 까미노 위에서 일어나는 순례자들의 역사였다. 떠드는 소리가 이내 사라져 버리고 알베르게의 밤은 조용해졌다.

Buen Camino

산토도밍고 → 벨로라도

Day 10 St Domingo de la Calzada

산티아고를 간다고 말하면, 많은 사람들이 남미 칠레의 수도인 산티아고를 먼저 떠올리는 걸 보고 의아하게 생각한 적이 있다. 남미의 많은 도시의 이름 중에는 스페인의 도시 이름과 같은 곳이 많다. 스페인이 남미를 발견한 뒤, 몇백 년 동안 남미의 국가들을 통치하는 동안 원주민들의 언어가 에스파뇰로 바뀌면서 자연스럽게 도시들의 이름도 스페인식으로 바뀌었기에 이름이 많이 겹치게 된 것이다.

도심을 빠져나와 무너진 지 오래된 집 옆을 지나치면서 왜 이런 것들을 그냥 두는지 이제 이해가 되었다. 선조들의 역사와 함께 까미노의 역사를 생계의 원천으로 삼고 있는 이들이 중세 유물들을 후대의 순례자들에게 그대로 보여 줄 필요가 있다는 것을 새삼 느꼈다. 도심을 벗어나 고속도로변을 따라 아직 어두운 길을 걷는 내 앞에 혼자 가는 여성의 뒷모습이 보였다. 아무리 봐도 한국인이었다. 슬쩍 지나치며 물어보니 한국인이 맞았다. 내 눈썰미가 보통은 아니다. 이곳에서는 한국인의 전형적인 모습이 많이 보였다. 게다가 중국인이나 일본인 등 다른 동양인이 거의 없는 편이었다.

평평한 길을 한참을 걷다가 작은 언덕을 오르니, 그 위에 대형 십자가가 세워져 있었다. 이 십자가는 용감한 자들을 나타내는 십자가로 알려져 있다. 산토 도밍고와 그라뇽지방의 사람들 간에 분쟁이 있었을 때, 각 마을 대표가 나와 결투를 했다 해서 그 자리에 이 십자가를 세워 기념한 것이다. 넓은 대지의 어둠 속에 대형 십자가 하나 달랑 세워져 있는 것을 보고 가슴이 벅차올랐다. 잔잔한 찬송이 내 입에서 저절로 흘렀나왔다. 십자가를 지나친 뒤에도 자꾸 그 십자가를 뒤돌아보며 걸었다.

'하나님, 이 길을 다 걸을 수 있도록 지켜 주세요. 정말 많은 은혜와 감사를 느끼며 길을 걷습니다. 하나님의 놀라운 영광을 생각하며 걷고 있습니다.'

떨어지는 물의 낙차 소리가 큰, 오하강의 다리를 1시간 반 정도 걸으니 멀리 언덕 위로 그라뇽 마을이 보였다. 아침 식사를 하고 싶어 카페라고 쓰여진 곳을 찾아보았으나, 의자를 펼쳐 놓은 곳은 보이지 않았다. 카페는 자신들이 영업하고 있다는 표시로 앞에 의자와 테이블을 펼쳐 놓는 것이 보통이었다. 한국에서는 흔히 볼 수 있는 네온사인 간판이나 돌출 간판이 없기 때문일 거다. 어디선가 빵 굽는 냄새가 나기에 먹을 곳이 있구나 하고 두리번거리는데, 냄새가 나는 그곳은 아침을 제공하는 사설 알베르게였다. 숙박한 손님들의 아침 식사를 위해서 빵을 굽는 모양이었다.

어쩔 수 없이 마을을 벗어나기 전 작은 테이블이 있는 곳에서 어제 사 놓은 배낭 속의 빵과 요구르트 그리고 오렌지 주스로 아침을 해결할 수밖에 없었다. 이럴 경우를 대비해서 늘 마트에서 빵을 사서 가방에 넣어두어야 한다. 빵이 가득 든 봉지가 겨우 1유로에 불과하다. 차가운 돌의자 옆에 길고양이들이 물끄러미 나를 바라보고 있었다. 하도 그 눈망울이 애처로워 빵을 떼어 던져 주니, 가까이 와서 냄새를 맡아 보고는 입을 대지 않았다. 고양이는 빵을 먹지 않는다는 것을 몰라서 아까운 빵만 버렸다. 나중에 새들이라도 먹길 바랐다.

내가 식사를 한 곳 아래로 펼쳐진 평원에는 순례자들이 걸어야 할 까미노가 굽이굽이 끝없이 이어지고 있었다. 이제 대평원이 시작되는 것인가? 메세타 평원은 부르고스 이후에 있는 약 200km 거리의 평평한 벌판길이다. 끝도 보이지 않는 길을 묵묵히 걷다 보니, 중간에 부르고스 지방과 레온 지방의 주 경계선 팻말이 크게 세워져 있었다. 이제까지 걸어온 길은 '리오하' 주였고, 앞으로 걸어갈 길은 '까스티야 레온' 주다. 산티아고까지 걷는 순례자들에게 주 경계선이야 아무 의미는 없지만, 까미노의 상징들을 보며 주마다 문화가 다르다는 걸 많이 느낄 수 있었다.

주 경계선을 지나 한참 걷다가 만나는 레데시아 델 까미노 마을에서 팔레리아를 다시 만나 무척 반가왔다. 그녀는 내가 노래를 좋아하는 줄 알기에 이탈리아 노래를 불러 주며 반가움을 표시했다. 알고 보니 그녀의 직업은 변호사였다. 까스틸델가도 마을을 지나는데, 같이 걷던 나이든 순례자들이 내 사진을 찍겠다며 웃으란다. 팔레리아도 내 미소가 좋다며 카메라를 내 코앞에 들이댔다. 아마 그들도 까미노에서의 친구들을 기억하기 위해 노래하는 나를 사진 속에 담아 두려는 듯했다. 그들이 블로그 글이나 책을 쓴다면 혹시 내 사진이 들어있지 않을까?

마을마다 중간쯤에 식수대가 있었고 인근에는 중세의 조각들이 있었다. 나는 큰 수통은 배낭에 두고, 작은 수통은 언제든 꺼내기 쉽게 허리색에 넣어 두었다. 급수대가 자주 있어 굳이 그럴 필요도 없지만, 늘 무엇이든지 여유로 가지고 있길 좋아하는 나의 습관 때문에 배낭이 무거워도 수통은 항상 가득 채웠다.

비올리아 마을로 다가가니 이정표가 특이했다. 마치 순례자들 보고 쉬어 가라고 유혹하는 것 같았다. 나는 그 유혹에 넘어가 버리고 말았다. 마을 벤치에 앉아 신발을 벗고 땀에 젖은 양말과 발을 말리느라 발가락을 꼼지락거리면서 한참을 쉬었다. 곧 내 뒤를 따라온 젊은 청년들이 쉬지도 않고 스쳐 지나갔다. 처음에 힘들어하던 아가씨 한 명도 이제 제법 걷는 이의 포스가 느껴질 정도로 씩씩해 보였다.

만약 구글 위성 카메라로 산티아고 까미노를 찾으면 푸른 벌판에 개미처럼 움직이는 건 모두 순례자일 것이다. 무언가 뚜렷한 돌출물도 보이지 않고 건물도 없는 황량한 벌판길을 쉼 없이 걷고 있는 사람들. 까미노 초기에 매번 아팠던 발바닥의 통증이 어느 날부턴가 전혀 느껴지지 않았다.

처음 보는 외국인이 있어 말을 거니 포르투갈 리스본에서 온 파르코란다. 이전에 까미노 코스 중 포르투갈 길을 아버지와 같이 걸었고, 이제는 프랑스 길을 혼자 걷는다고 했다. 그는 모국어인 포르투갈어, 스페인어, 프랑스어와 영어의 4개 언어를 달변으로 할 수 있었다. 그래서 내가 리스본에 있는 한국 대기업에서 다국어를 할 줄 아는 현지인을 우대하고 있으니, 응시해보라고 권유하기도 했다. 그 뒤로도 파르코와 재미있는 일들이 많았다.

공장지대를 지나 벨로라도 마을에 도착했다. 세계 각 나라의 깃발을 휘날리며 요란하게 치장한 알베르게는 아무래도 마을 중심부와 거리가 멀어 안 좋을 것 같아 지나쳤다. 그리고 한참을 더 가자 알베르게를 운영하는 듯한 성당이 보였다. 전날 보았던 한쪽 몸이 불편한 남자도 그곳에 여장을 풀었다기에 와이파이 유무를 물어보았더니 안 된다고 해서 또 지나쳤다. 광장으로 가도 알베르게라고 쓰여 있는 곳이 보이지 않아 두리번거리는데, 중년의 한국인 두 명이 인사를 해왔다. 단체 여행으로 까미노를 걷다가 초기에 다리를 다쳐 버스 편으로 먼저 이곳으로 왔단다. 알고 보니 그간 나와 일정을 같이한 단체 여행객의 일원이었다. 그중 한 명은 슬리퍼를 신었는데, 발등이 벌겋고 금방 곪을 것 같아 보였다. 항생제를 먹여야

겠다고 얘기했더니, 약국에서는 병원의 처방 없이 항생제를 주지 않는다기에 얼른 내 배낭 약품 상자에서 항생제 몇 개를 꺼내 나누어 주고 빨리 완쾌되기를 빌었다. 그 후 까미노가 끝날 때까지 그 사람들은 보지 못했다.

성당의 건너편 벽에 십자군의 방패가 선명한 벽화가 그려져 있는 걸 보고 이곳에도 어떤 역사적인 무용담이 있음을 예상할 수 있었다. 골목에도 중세의 말을 탄 기사들의 모습과 순례자들의 모습이 벽화에 그려져 있었다. 이렇게 마을마다 중세의 역사와 전설이 가득한 매력 있는 트레킹 코스가 전 세계에 또 어디 있을까?

나는 고등학교 시절, 가르치는 선생님이 싫어서 역사 과목을 등한시했었다. 그러나 젊은 시절부터 역사에 관한 책을 많이 읽은 덕에 세계 역사를 알게 되었다. 상식도 곁들여 알게 되어 여행을 더 즐겁게 할 수 있었다. 그래서 외국에서 그림을 볼 때마다 나름대로 기억 속의 역사를 생각해내곤 한다. 특히 유럽 역사는 국가설립, 왕들의 통치, 종교, 음악, 미술 및 건축과 문화 등이 모두 긴밀하게 연결되어 있어 알면 알수록 더 재미있다. 여행은 아는 만큼 볼 수 있고 더 가치 있으며 즐거운 것이다.

조금 전 성당 근처를 지나다 본 깨끗한 건물의 알베르게가 생각나서 다시 그곳으로 발길을 돌렸다. 문을 열 시간이 거의 다 되어 순례자들과 함께 기다리던 중 처음 보는 한국인 부부가 와서 내게 인사를 건넸다. 지나가던 동네 할머니가 우리에게 말을 걸자 한국인 여자가 웃으며 고개를 끄덕거리기에 스페인어를 아는지 물었다. 그랬더니 전혀 모르지만 그냥 들어준 거란다. 들어주는 표정이 참 우아한 느낌이었고, 첫눈에 인텔리임을 느꼈다.

알베르게에 들어서서 접수하는 곳을 보니 작은 한국 태극기가 달려 있었다. 각종 한글 안내도 있는 것으로 보아 이곳에 한국인들이 많이 오는 것 같았다. 이러한 작은 배려는 다른 알베르게에서는 보지 못한 모습이었다. 구조는 약간 특이하게도 천장 중간, 머리가 닿는 부분에 커다란 대들보가 있었다. 주인이 그 안에 있는 침상으로 들어갈 때 머리를 조심하라고 신신당부를 했건만, 나는 그 안에 있는 일인용 침대를 차지하고 지나다니다가 그날 밤에 한번 크게 부딪혔다.

빨래를 널고 산책을 하다가 다른 알베르게에 투숙하고 있는 한국 청년들을 만나게 되었다. 그중 남자 한 명이 다리가 불편해 병원에 가느라 두 단계를 건너뛰기로 했다면서 안타까워했다. 마트가 열기를 기다리며 시원한 맥주 한 팩을 사서 그들에게 나누어주고, 벤치에서 이야기를 나누자니 끝이 없었다.

저녁 식사는 알베르게에서 제공하는 순례자 식사메뉴를 예약한 투숙객들끼리 테이블에 둘러앉아 샐러드와 생선요리, 와인을 즐겼다. 마침 응접실에 기타가 있길래 내가 기타를 치며 싱어롱을 리드

하고 각 나라 노래들을 부르며 즐겼다. 독일인, 영국인, 미국인, 이탈리아인, 호주인, 한국인 부부 등 다국적 사람들이 모여 각 나라의 전통노래를 불렀는데 내 옆에 앉은 멋진 흰 수염을 가진 74세의 이탈리아인 이지노 씨가 유독 이탈리아 가곡들과 미국 팝송들을 많이 알고 있었다. 굵직한 베이스로 잔잔히 노래하는데 나랑 참 잘 어울렸고, 내가 아는 외국노래들도 그분은 거의 아는 편이었다. 각자 침대로 가기 전에 한국 여자 분이 내게 와서는 기타 하나로 좌중을 휘어잡았다며, 덕분에 참 즐거운 시간을 보냈다고 말해주었다. 외국인들끼리 말은 통하지 않아도 노래로는 통하니 음악은 만국의 언어인 것이 분명하다.

Buen Camino

벨로라도 ➡ 아헤스

Day 11 Belorado

한국에도 이런 순례길이 있다면 과연 인기가 있을까? 전라도 지역에 우리나라의 기독교, 유교, 불교, 천주교 및 민족종교의 성지들을 방문하는 '아름다운 순례길'이라는 240km의 코스가 있다고 들었는데, 숙소와 길 안내 등의 기본 인프라가 잘 갖추어져 있는지는 모르겠다. 또한 특정 종교를 가진 사람들이 종교의 벽을 넘어서 다른 종교의 성지들도 포용하는 마음으로 걸을 수 있을지 의문이다. 숙박료도 저렴하고 먹는 음식도 그다지 비싸지 않으며, 지역마다 오래된 역사가 있고 아름다운 자연이 있으면 가능할 것도 같다.

이곳은 아직 경작을 하지 않는 곳이 많았다. 새로 개간할 만한 지역이 아닌지 혹은 일부러 밭에 일정 기간 안식년을 주는 것인지 모르겠다. 한 시간 정도를 걸었을까. 어제 같이 식사한 이지노 씨가 아주 천천히 걷고 있는 것이 보였다. 같이 이야기하며 걸으려 했더니 내가 걸음이 빠르니 먼저 가라고 말해왔다.

첫 번째 마을인 토산토스에서 식사를 하고 싶었으나 문을 연 카페가 없었다. 그다지 멀지 않은 두 번째 마을인 비얌비스티아 마을 역시 중심거리는 조용했다. 이럴 수 있을까? 순례자들이 얼마나 아침을 먹고 싶어 하는데, 휴일도 아닌 평일에 문을 연 카페가 없다니 아쉬웠다. 까미노 어플 상으로도 이곳은 먹을 곳이 없고 마실 곳만 있다고 표시되어 있었다.

세 번째 마을인 에스피노사에서 아침 식사를 하는 사이, 이지노 씨가 카페를 지나쳤는지 앞서가고 있어 같이 언덕을 오르다가 앞을 보니 이틀 전 본 리투아니아 모녀가 있었다. 반가움에 큰 소리로 불렀더니 두 명 모두 내게 다가와 포옹을 했다. 그들에게 있어 포옹은 좋아한다는 표현이라기보다 전형적인 인사법이다. 엄마의 이름은 알도나고, 딸은 루타였다. 자연스럽게 4명이 같이 걷고 있는데, 루타가 반바지를 입고 있는 이지노 씨의 종아리가 햇빛에 그을려 검게 변한 것을 보고 배낭 속에서 연고를 꺼내 발라 주었다. 이지노 씨가 그럴 필요 없다고 극구 사양했는데도, 그 무거운 배낭을 메고도 쪼그리고 앉아 발라주었다. 참 명랑하고 심성이 고운 아가씨였다.

긴 언덕길에 도달했을 때 얼굴을 자주 보던 독일인과 이탈리아인들 그룹을 만났다. 루타는 그들과도 반갑게 포옹으로 인사하고, 그중 키가 유난히 큰 독일인과 자주 걸었는지 함께 포크댄스를 추며 흥겹게 언덕길을 내려갔다. 알도나는 내가 노래를 좋아하는 것을 알고, 나와 같이 걸으며 리투아니아 노래를 불러 주었다. 루타는 자신의 전공이 건축이라 했다. 나도 평생 건설 업무를 했다고 하니 놀라며 더 반가워했다.

루타 모녀와 나는 해발 약 1,200m의 가파른 산을 올라야 했다. 오리의 언덕이라 불리는 몬테 데 오카와 알토 데 라 페드라하의 긴 언덕길을 계속 올라가려니 힘들어졌다. 고도 200m의 가파른 오카 언덕을 올라가야 하고, 페드라하 언덕은 그곳에서 200m를 더 올라가야 하니 쉽지 않은 길이었다. 가끔 쉴 겸해서 뒤를 돌아보면 저 멀리 다른 산 정상이 흰 눈에 덮힌 것이 보였다. 리투아니아 모녀도 이런 산행은 힘든 듯 나보다 더 힘겹게 올라갔다. 몬테 데 오카의 정상에 오니 앞에 보이는 산들과 지명이 무엇인지 알려주는 안내판이 있었지만, 너무 낡아 희미하여 제대로 읽을 수 없었다. 뒤이어 올라온 알도나도 힘든지 가쁜 숨을 몰아쉬었다. 하지만 얼굴은 화사하게 웃고 있었다.

페드라하 정상에 도착해서야 모두 안도의 숨을 쉬었다. 그곳에는 1936년에 세웠다는 높은 기념탑이 있었고, 전방 시야가 탁 트여 있었다. 오렌지를 하나 먹은 후 가파른 언덕길을 내려오니 붉은 황토 길이 넓게 뻗어 있었다. 만약 비가 많이 왔으면 이 황토길을 걷는데 심각한 어려움이 있을 것 같았다. 길을 가다가 바닥에서 어떤 벌레들이 천천히 움직이고 있어서 자세히 보니 송충이 같은 벌레가 서로의 꽁지를 물고 한 몸으로 움직이고 있었다. 이럴 수가 있나! 길이가 얼마 정도 되는지 알고 싶어 내 스틱을 바닥에 놓고 재보니 약 60cm 정도에 달했다. 쪼그리고 앉아 마릿수를 세어보니 정확하게 20마리였다. 기이한 곤충의 세계를 보고 있자니 신기했다.

길이 넓어 화폭처럼 보였는지 사람들이 길바닥에 무언가 표현하고 싶었나 보다. 여기저기에 작은 돌들로 만들어 놓은 문구들이 돋보였다. '누구를 사랑한다', '부엔 까미노', 하트 모양 등등. 그 넓은 길의 양쪽에는 푸른 아름드리 숲이 길게 평행으로 달리고 있었다. 그 지루하고 넓은 길의 끝에 있는 간이매점 주위에는 순례자들이 음식을 먹고 있었고, 누군가 주변에 있는 나무를 조각해서 각종 재미있는 모형을 만들어 놓아 사람들의 눈을 즐겁

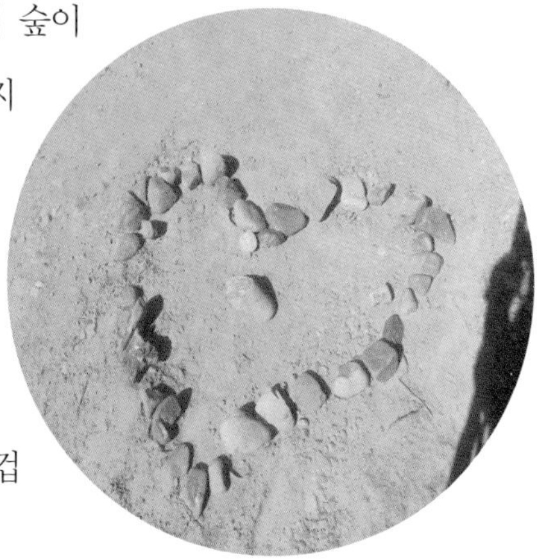

게 해 주기도 했다. 한국 청년들이 뒤따라 오기에 내 배낭에서 사과 한 알을 꺼내 인원수에 맞게 잘라 나누어 먹었다. 깔고 앉은 통나무에는 한글로 이렇게 쓰여 있었다.

'이 자리는 Camino와 결혼한 윤**의 자리입니다. 3번째 순례자의 길, 이 길이 끝나고 북쪽 길도 순탄하게 해주세요. 2016. 4. 7'

아! 참 눈물겹다. 이 힘든 길을 3번이나 걷고 있다니 얼마나 까미노를 좋아하면 이 길과 결혼했다고 할까? 혹시 나도 그 전염병에 걸리지는 않을까? 나도 까미노를 걷는 것이 미치도록 좋았다. 그렇게 생각하며 하늘을 보니, 파란 하늘에 쏜살같이 지나간 비행기의 궤적이 흰 구름으로 남아 있었다. 저 비행기같이 빠른 삶 속에서 무언가 오래 기억될 만한 나만의 인생을 남기고 싶었다.

산 후안 데 오테르가 마을의 성당이 열려 있어 들어가 보니, 알베르게를 겸하고 있는 듯 조금 지저분해 보이는 모포들이 차곡차곡 쌓여 있었다. 등산화를 놓을 수 있는 신발 보관대도 보였는데 그리 깨끗해 보이지는 않았다. 성당 앞에서 길이 두 갈래로 갈라졌다. 왼편 길은 부르고스로 가는 조금 먼 길이고, 또 하나는 점선 상으로 봐서 오늘의 목적지인 아헤스를 거쳐서 가는 길이라 오른편 길을 택해 오붓한 숲 속을 걸었다. 졸졸졸 흐르는 샘물같이 노래하며 길을 걷다가 전방을 보니, 아주 먼 곳에 마을이 있었다. 한숨이 나왔다. 아직도 길은 멀었나? 거리상으로는 오테르가에서 아헤스까지 불과 3.7km지만 지금 보이는 마을은 무려 10km 정도 거리에 있을 것만 같았다.

그러나 그것은 내 착각이었다. 아헤스 마을은 끝이 보이지 않는 긴 평원길의 지평선 바로 아래 언덕에 조그맣게 자리 잡고 있었다. 산티아고가 518km 남았다는 이정표가 있는 아헤스 마을에서는 알베르게들이 모두 담합을 했는지 알베르게 내에 레스토랑 운영을 겸하고 있었고, 그 안의 작은 마트에는 식재료가 없었다. 주방도 없어 음식을 모두 사 먹어야만 했지만, 음식값이 그다지 비싸지는 않았다.

양지바른 곳에 앉아 길게 자란 손톱과 발톱을 깎고, 천천히 마을을 산책하다가 작은 성당에 들어갔다. 아무도 없었다. 그 안에 들어가 손뼉을 쳐서 공명이 좋은 것을 확인하고는 성당의 성가대석인 2층에 올라가 평소 잘 부르던 생명의 양식Panis Angelicus을 찬양했다. 녹음을 한 후 들어 보니, 역시 성당의 울림이 좋아 그런지 마치 성당에 있지도 않은 파이프 오르간을 반주로 노래하는 것 같았다.

햇빛이 좋고 바람이 부는 날이라 건조대에 널어 놓은 빨래도 잘 말라 있었다. 오늘은 참 행복한 날이다.

Buen Camino

아헤스 ➡ 부르고스

Day 12 Ages

어느덧 4월의 마지막 날이었다. 예정된 날짜 상으로는 3분의 1을 걸을 것이고, 거리상으로도 3분의 1 정도였다. 첫발만 내딛어도 반은 왔다고 하는 우리나라 속담이 있는데, 벌써 이만큼 왔으니 이후 특별히 내 몸에 이상이 없는 한 완주에는 문제가 없을 것 같았다. 그러나 조심하고 또 조심해야 한다. 잠깐의 실수나 잘못으로 평생 후회할 일은 없어야 한다.

이날 따라 왠지 찜찜한 기분이었다. 길을 나서면서 무언가 숙소에 놓고 온 것 같은 불길한 느낌이 들었다. 어둑한 길을 걷다가 문득 이정표가 생각났다. 길이 갈라지는 곳에서 이정표를 찾지 못하고 헤맸던 것이다. 어제 오후에 봐둔 길이 당연히 까미노로 이어질 줄 알았기에 굳이 확인하지는 않았던 건데, 벌써 10분 이상 걸어 왔지만 이정표를 하나도 보지 못했다. 잘못된 길로 걸으면 나중에 더 큰 실수가 있을까 봐 되돌아가던 중, 어떤 남녀가 이 길로 오고 있어 물어보니 맞는 길이라 했다. 그래도 내 눈으로 확인하고 싶었다. 되돌아가면서 마을 근처 길가의 사물들을 보니 내가 못 보고 지나친 화살표가 작게 그려져 있었다. 이런 노이로제는 필요한 것일까?

한참 차도를 걷다보니 조금씩 먼동이 터왔다. 길가에 사람 얼굴이 그려진 대형판이 있기에 가까이 가서 보니 선사시대 유적지 표시였다. 유럽에서 가장 오래된 선사시대 인류의 흔적이라 하는데 보호장치도 없는 것을 보니 특별히 잘 관리하는 것 같지는 않았다. 아타푸에르카 마을에 도착했을 때, 터번을 쓴 팔레리아가 환하게 웃으며 내게 다가왔다. 아마 이곳 마을에서 하루를 보낸 모양이었다. 아침에 머리를 못 감아 터번을 썼단다. 이곳에서 숙박했더라면 더 좋았을 것이라는 후회가 들었다.

이어지는 길은 계속 오르막이었다. 팔레리아 일행은 빠른 걸음으로 앞서가고 나는 천천히 올라갔다. 길옆 목장에는 수백 마리의 양들이 풀도 없는 곳에 모여 있었다. 아마 밤에만 가두어 두는 우리일 것이고, 날이 밝으면 다시 초원으로 나가서 신선한 풀을 즐길 것이다. 생각해 보니 스페인의 가축들은 거의 신선한 풀만을 먹는 행복을 누리고 있었다. 어디에서도 인공 사료 부대가 쌓여 있는 것을 보지 못했다. 그래서 이곳의 고기들이 맛있는 걸까. 사람들이 주로 샌드위치 사이에 넣어 먹는 하몽은, 돼지고기의 넓적다리를 잘라 소금에 절인 후 건조, 숙성시켜서 먹는 음식이다. 그런데 까미노 길을 걸어가는 동안 어디에서도 돼지우리는 보지 못했다. 아마 돼지 사육은 냄새가 많이 나니, 특별히 사람들에게 보이지 않는 곳에서 하는 것일 거라고 짐작했다.

언덕을 올라갈수록 풍경이 아름다워졌다. 넓은 벌판 위로 하늘의 구름이 그림자를 드리워 더 환상적인 풍경이 펼쳐졌다. 멀리 햇빛이 비치는 곳의 언덕에는 풍력발전용 바람개비가 끝없이 이어지고 있었고 언덕 위에는 아주 커다란 철 십자가가 돌무더기 위에 솟아 있었다. 오랜만에 만난 십자가를 바라보다가 내가 올라온 길을 내려다보았다. 그야말로 아름답기 그지없는 하나님의 창조물에 감탄과 찬양이 내 입에서 저절로 흘러나왔다. 잠시 멈추어 서서 산 아래를 내려다보며 큰 목소리로 찬양을 부르니, 지나가는 순례자들이 모두 나를 향해 박수를 쳤다. 한 외국인 순례자는 내 옆으로 와서 자기도 그 찬양을 안다며 즐거워했다.

아침에 떠날 때는 바람 없이 고요하고 푸근했는데 산을 넘자마자

바람이 불고 추워지기 시작했다.

평원 저 멀리 부르고스의 웅장함이 보이면서부터, 내려가는 느낌이 없을 정도로 경사가 완만한 길을 걸어가기 시작했다. 공장 같은 건물도 보였다. 직장생활 36년의 경험으로 볼 때, 화학 공장은 아닌 것 같고 무슨 광물질을 제련하는 공장 같아 보였다. 까미노에서 만난 사람들에게 내가 평생 거대한 정유공장이나 화학 공장 건설과 관련된 일을 했다고 하니 거의 믿지 않는 눈치였다. 오히려 내가 예술가일 것이라 생각하는 외국인들이 많았다.

흰 머리에 등산모를 쓰고 앞서가는 외국 여자를 보았다. 허리가 휜 것 같고 걷는 것이 조금 불편해 보였다. 누구나 걷고자 하는 의지만 있으면 이곳에 온다. 까미노에 관한 책을 보면, 말도 안 되는 전설적인 성지나 영웅적인 인물들의 이야기가 많은데 순례자들의 무용담도 만만치 않다. 도무지 걷기 어려울 것 같은 신체와 나이를 가진 순례자들을 만날 때마다 기적을 보는 것 같았다.

얼마 전 같이 지냈던 남자와 동행하는데, 그가 옆에 있던 조금 통통한 체격의 여자와 이야기를 나누기 시작했다. 여자에게 국적을 물으니 러시아란다. 한참 그들과 이야기하며 걷는데, 뒤에서 한국 청년들의 소리가 들렸다.

"선생님, 무지개, 무지개 보세요."

모자를 쓰고 긴 팔 상의를 입었기에 비가 오고 있는 것을 조금 늦게 알았다. 게다가 무지개까지 떠 있는 줄은 더욱 몰랐다. 그들이 가리키는 방향으로 서니 푸른 언덕 위 파란 하늘에 무지개가 아름답게 떠 있는 걸 볼 수 있었다. 그런데 더 놀라운 광경을 발견했다. 대개 무지개는 아주 멀리 떠 있기에 무지개의 양쪽 끝을 정확하게 볼 수 없는데, 내가 걷는 언덕 지평선 너머 밀밭 위로 무지개 일곱 색깔의 띠가 이어지는 것이 눈에 선명하게 보였다. 그렇다면 이 무지개는 그 밀밭 위를 지나 내 몸에까지 이어졌을 것이 분명했다. 이를 통해 무지개는 반원형이 아니고 원형이라는 사실을 확인했다. 이런 사실을 지나가는 이에게 알려 주니 그 모습을 보며 모두 신기해했다. 나는 정말 오랫동안 그 자리에 서서 무지개가 희미해지는 것을 지켜보았다.

혼자 남아 까르데누에라 리오 피코의 알베르게 앞 벤치에서 쉬고 있는데 한 낯선 순례자가 내 앞을 지나갔다. 대개 까미노의 마을은 한군데 모여 있고 조금 지나가면 주택이 전혀 보이지 않는 편인데, 이곳은 마을을 지났는데도 계속 주택이 이어졌다. 그러니까 마을이 길을 따라 형성된 것 같았다. 정원이 잘 정리된 집들이 보기 좋았다. 집마다 장식 혹은 글씨로 까미노의 길이라는 것을 나타내고 있었다. 그렇게 걷다가 또 한 번 주택 위로 뜬 무지개를 보았다. 하루에 두 번이나 무지개를 본 경이로운 날이었다.

낯선 두 여자를 따라 길을 걷다가 멈췄다. 그 사람들이 더는 앞으로 나아가지 않고 서 있는 다리 위의 이정표가 이상했다. 까미노의 공식 이정표는 다리를 건너 직진하라는데, 다리 끝에 누군가 돌멩이를 주워 바닥에 표시해 놓은 이정표는 왼쪽 길로 가라 했다. 생각해보니 돌멩이 이정표가 더 신빙성이 있을 것 같아 왼쪽 길을 따르기로 했다. 나중에 산티아고 안내 책자를 확인했는데 원래 까미노 길은 거리도 길고 아스팔트길이라 걷기 힘들다고 이 길로 가라고 추천하고 있었다.

부드러운 흙길로 이어지는 긴 길의 오른편은 공항시설을 막은 철조망이고, 왼편은 나대지였다. 비록 이정표는 없었지만 많은 순례자가 지나간 흔적이 있어 안심했다. 그 긴 길의 끝에 있는 마을로 가니 도로 앞에 까미노 이정표가 다시 보였다. 그러니까 아까 다리 건너를 향해 있던 까미노 화살표는 공항의 오른편으로 걸어 이곳까지 오기 위한 정식 루트였고, 지금 내가 온 길은 지름길이었던 것이다. 마을의 성당 꼭대기 철 십자가 아래의 약간 평평한 부분 양쪽에 황새가 집을 지어 살고 있어 신기했다. 그 뒤로 이런 광경을 자주 보게 됐다. 맑은 물이 흐르는 피코 강을 따라 걸었다. 낚싯대를 든 마을 사람들이 앞서가면서 담배를 피우고 있어 내가 빠른 걸음으로 그 사람들을 앞질러 갔다. 스페인에서는 지붕이 없는 곳이면 어디에서든 흡연할 수 있어, 까미노 후 스페인 여행 중일 때 횡단보도에서 담배를 피우는 사람들이 많아 불편했다. 그러고 보니 까미노 길을 걸어가면서 담배 피는 순례자들은 이제까지 한 명도 보지 못했다.

끝이 안 보이는 직선 길은 부르고스 시민들의 산책로인 듯 여러 사람이 운동복 차림으로 혹은 편한 복장으로 길을 걷거나 조깅을 하고 있었다. 맑은 물이 흐르는 피코 강과 부드러운 흙길 위에 운동하는 사람들을 보고 부르고스가 무척 큰 도시임을 알 수 있었다. 강폭이 넓어지는 곳 여기저기에서 낚시꾼들이 포인트를 옮겨 가며 낚싯대를 드리우고 있고, 주말에 산책 나온 가족들은 강물의 오리에게 무언가 먹을 것을 던져 주며 휴일의 한가함을 즐기고 있었다. 그때 선진국 스페인에서 쉽게 볼 수 없는 모습이 다리 아래에 보였다. 누군가 끌고 가다가 놓친 듯한 마트용 카트가 강물에 떠내려가다 걸려서 바퀴를 하늘로 향한 채 움직이지 않고 있던 것이다.

강을 따라가는 길이 너무 길어 몸이 점점 지쳐갔다. 이게 도대체 몇 km나 될까? 시간상으로 보았을 때 산책로만 거의 15km 정도 되는 것 같았다. 강물이 좁아지고 더는 산책로가 이어지지 않을 때쯤 다리를 건너 도시로 들어갔다. 이제까지 10일 넘게 도시다운 도시를 보지 못해서인지 모든 것이 신기하게 보였다. 문명의 세계로 돌아온 것 같았다. 다른 마을에서는 배낭을 멘 모습이 당연하게 느껴졌는데, 여기서는 순례자들의 모습이 거리의 분위기와 맞지 않아 보였다. 복잡한 시내를 가로질러 골목을 지나니 눈앞에 거대한 성당이 보였다. 그 옆에 몇 층 건물로 된 알베르게가 있었고, 순례자들이 접수를 위해 밖까지 길게 줄을 서 있었다.

순례자들은 아는 얼굴이 알베르게에 도착할 때마다 환호를 보냈다. 나도 다른 외국인들이 반갑게 부르는 ‘까르미나’ 라는 소리를 들으며 줄을 섰다. 내 앞에 낯모르는 중년의 두 여자가 나보고 이름이 무엇이냐고 묻기에 알려 주었더니, 내 이름을 루타로부터 들어서 이미 알고 있다며 반가워했다.

또 새로운 국적의 사람을 만난 곳이기도 하다. 남미의 메스티족 얼굴을 가진 부인이 있기에 국적을 물어보니 멕시코였다. 멕시코는 내가 국영석유회사인 페멕스와 업무가 있을 때 자주 갔었다고 했더니 요즘 페멕스의 공장 하나가 폭발해 분위기가 좋지 않다고 말해왔다. 걱정되는 마음에 사고 난 지역을 인터넷으로 검색해보니 다행히도 우리 한국회사가 건설한 공장은 아니었다. 거의 10년 동안 멕시코 관련 일을 했기에 누구보다도 더 잘 알고 있었다.

이곳 알베르게에는 엘리베이터가 있고, 개인의 침상이 옆 사람과 완전히 분리되어 있는 등 아주 좋은 시설을 갖추고 있었다. 하지만 안타깝게도 와이파이는 되지 않았다. 어쩔 수 없이 바로 앞 카페에서 맥주 한 잔 마시면서 집에 도착을 알려야만 했다. 그 외 다른 시설도 순례자 개인 중심으로 잘 준비되어 있었다. 침대 머리맡에 작은 등이 있는 전기 콘센트와 개인 사물함, 넓은 주방, 거실 그리고 깨끗한 화장실 등이 갖추어져 있어 모든 순례자가 다 이곳으로 들어오는 것 같았다.

여장을 풀고 시내 구경을 나왔다. 대성당에서 결혼식이 있는 듯 정장을 입은 젊은 남녀 몇 쌍이 거리를 걸어가고 있었다. 대성당 앞 광장에는 사람들이 산책하거나 스케이트보드를 타고 있고, 사진을 찍으며 몰려다니는 단체 관광객들도 보였다. 부르고스 성당은 무척 크고 유명하여 순례자 반액 할인 입장료를 내고 들어가 보았다. 정말 거대한 성당이었다. 구석구석에 아름다운 조각품과 성물, 석관 등이 많이 있었고 각종 교황의 역사에 대해 표현하고 있었다. 대성당 앞 벤치에 지쳐 보이는 순례자 동상 옆에 우두커니 앉아 지나가는 사람들을 구경했다.

알베르게로 돌아와서는 처음 보는 한국 여성분을 만났다. 교사 퇴직 후 이곳에 와서 하루 40km씩 걷는다기에 나는 혀를 내 둘렀다. 앞으로도 계속 그런 속도를 낼 수 있을까? 그 여성은 나중에 내가 산티아고 데 콤포스텔라에 도착하여 광장에서 쉬고 있을 때, 그제야 초췌한 얼굴로 도착했다.

Buen Camino

부르고스 ➡ 온타나스

Day 13 Burgos

산티아고 까미노에서 보다 즐겁게 지낼 수 있는 절대 조건 중 하나는 바로 '영어를 알아듣고 말할 수 있다'는 것이다. 아무리 스페인이라 해도 순례자들이 전 세계에서 모이다 보니 자연스럽게 영어를 공용어로 썼고, 처음 보는 사람에게 먼저 말을 건넬 때도 부엔 까미노 이외에는 모두 영어로 상대방을 탐색하게 되는 것이다.

어느 나라에서 왔는지, 까미노는 언제부터 어디에서 출발했는지 등등 간단한 질문에 답변이 제대로 나오면 그때부터 본격적으로 대화가 시작된다. 그러면서 이야기가 길어지고 길 위나 알베르게에서 다시 만나게 되면 같이 음식을 만들어 먹기도 하면서 우정을 쌓아갔다.

물론 영어가 아니어도 스페인어나 프랑스어 혹은 이탈리아어로 대화할 수도 있지만, 대개 이런 언어로의 소통은 서로 같은 국민이 아니면 이루어지기 어려웠다. 그러나 스페인어를 사용하는 나라들, 예를 들어 브라질 같은 남미 쪽 사람들에게는 스페인어가 편하고 포르투갈어가 스페인어와 비슷하기 때문에 포르투갈에서 온 사람들도 편하게 쓸 수 있다. 까미노를 걷는 사람들은 영어권이 아닌 나라에서 온 외국인이라도 대부분 영어를 잘하는 편이다. 하지만 어떤 이들은 오로지 자국어밖에 하지 못했다. 그럴 경우는 대체로 대화를 피하는 편이지만, 보디랭귀지를 통해서라도 대화를 끌어내려고 노력하는 적극적인 사람도 많았다.

부르고스 시내에서 골목과 대로를 2시간을 넘게 걸어 도시를 벗어 날 때쯤 누군가 길 위 전깃줄에 운동화를 던져 올렸다. 이것도 그라피티같이 무슨 유행을 타는건가 보다 했다. 나무들은 말라 있었다. 아직 신록이 우거질 때가 아닌지 모두 가지만 드러낸 채 초라해 보였다.

그날 아침, 맑은 하늘에 비행운이 초승달이 남아 있는 푸른 창공을 길게 가로 지르고 있었다. 언제나 그렇듯이 이탈리아인 이지노 씨가 천천히 걷고 있어 반가움에 뒤에서 스틱을 흔들며 큰 소리로 불렀다. 그는 늘 걷기의 원칙이 'Slow and Steady'였다. 천천히 걷지만 멈추지 않았다. 이지노 씨는 아침을 안 먹고, 점심도 맥주 한 컵 정도로 끝냈다. 그는 다른 이들이 들르는 카페 같은 곳에서도 쉬지 않다 보니, 내가 앞서다가도 잠시 카페에 머물다 나오면 어느새 다시 내 앞에 가고 있는 것을 볼 때도 있었다.

오늘은 벌써 5월 1일. 일요일이라 도심 공원은 조용했다. 고속도로가 보이는 외곽 벌판길을 걷다가 공사로 인해 까미노 길이 바뀌었다. 한 줄기 흰 선처럼 길게 그어져 있는 메세타 대평원을 오전 내내 걸으며 자연과 인간이 만든 초원의 아름다움에 넋이 나가 버렸다. 그 넓은 초원 아주 멀리에 나무 한 그루 달랑 세워져 있을 뿐이었다. 국내 영화 '편지'에서 이런 풍경을 본 적이 있다. 최진실이 이미 세상을 떠난 남편이 남기고 간 아들 손을 붙잡고 이렇게 넓은 벌판 위에 와서, 혼자 우뚝 서 있는 나무의 가지 하나를 잡고 아들과 인사시키는 장면이었다. 꽤 인상깊었다.

그 뒤로도 계속 넓은 평원에 나무가 달랑 몇 그루 서 있는 풍경이 나왔다. 너무 적적해 보였는지, 어느 순례자가 이정표 위에 등산화와 와인 한 병 그리고 꽃을 꽂아두었다. 낮은 언덕에 오르니 기다란 외줄기 길

이 아주 멀리 보이는 오르니요스 마을까지 이어져 있어 한숨이 나왔다. 어쨌거나 나는 계속 가야 했다. 그게 내가 여기 온 이유다. 먼 길을 걷는 의미가 있건 없건, 지금은 생각할 필요가 없었다. 이 길도 내가 모두 선택한 과정일 뿐이었다.

오르니요스 마을에 도착한 뒤 기진맥진하여 카페 앞에서 맥주 한 잔 마시며 잠시 쉬는데, 어느 백인 여자가 배낭을 메고 유모차에 아들을 태운 채 카페 앞으로 다가왔다. 순례자가 맞느냐 했더니 그렇단다. 어이가 없어 모두 놀랐다. 아이의 볼이 햇볕에 타서 발그스름했다. 국적은 독일, 방실방실 웃고 있는 남자아이의 이름은 헨리. 너무 경이로운 만남이라 먼저 일어서며 아기에게 한국에서 가지고 온 작은 선물을 주었다.

낮은 언덕을 오르고 내려가는 것이 이제는 일상이 되었다. 그곳에 순례자들이 하나씩 던지거나 올려 쌓은 돌무더기가 있었는데, 높이 올라갈수록 돌은 하나씩 밖에 올려져 있지 않았다. 아무래도 그 꼭대기에 돌 하나 정도 더 올라갈 수 있을 것 같아, 밑에 쌓은 돌무더기가 무너지지 않도록 조심히 올라가 검은 돌 하나를 올려놓았다. 성공이었다. 그리고 근처 말뚝에 내

스탬프를 꾹 찍어 눌렀다. 오래오래 그 자리를 지켜 주기를 바랐다.

누군가 철판에 그려진 화살표의 하얀 바탕에 'BELIVE IN YOUR DREAMS' 라고 스펠링도 틀린 명언을 써 놓았다. 틀린 말이었지만, 그 말은 틀림이 없는 말이었다. 나도 나의 꿈을 믿는다. 이 꿈을 위해 무려 5년간을 준비했다. 이 자리에 서 있는 것 자체도 내 꿈속에 들어 와 있는 것 같았다. 하늘에 구름이 두둥실 떠갔다. 결코 구름처럼 그냥 사라질 꿈이 아니었다.

부는 바람을 피해 십자가가 세워진 돌무더기 뒤편에서 남은 콜라와 과일로 허기를 채웠다. 이런 내가 힘들고 지친 순례자의 전형적인 모습이 아닐까 생각했다. 오전에 아득하게 멀리 보이던 산 위의 풍력발전 바람개비가 어느새 내가 서 있는 선상에 평행으로 서 있었다. 정말 먼 길을 걸어왔다. 거리를 확인해보니 30km가 넘었다. 오늘 길은 평탄한 길이라 바이크 순례자가 많았고, 아침부터 숙소에 도착할 때까지 한국인을 한 명도 보지 못했다. 지평선이 보이는 길은 끝이 없었는데, 오늘 도착 예정인 온타나스 마을은 지평선이 보이지 않다가 어느 순간 갑자기 작은 언덕 아래에 나타났다. 얼마나 반갑던지 '야호' 하고 외쳤다.

숙소에서 운영하는 레스토랑의 햄버거가 상당히 맛있었다. 뒤이어 도착한 한국 청년들의 모습을 보니 오늘은 배낭을 모두 택배로 보냈는지 빈 몸이었다. 길에서 봤던 외국인들이 도착하여 내게 아는

척을 했다. 사람들과 이렇게 인사를 나누나 보면, 어느덧 나도 이곳에서 한 식구가 되었다는 느낌을 받았다.

숙소의 이층 침대는 밑 층에 걸터앉아도 머리가 위층 침대에 닿지 않을 정도로 높아서 좋았고 나무 침대라 아늑해보였다. 어쩌다 보니 낮에 카페 앞에서 봤던 유모차를 끌던 독일 여자가 숙소의 내 옆 자리로 오게 되었다. 숙소 뒷산에 올라 바라보는 풍경이 너무 좋아 내가 헨리에게 놀러 가자고 했더니 엄마의 눈치를 보다가 내 손을 잡고 올라갔다. 헨리도 그곳을 무척이나 좋아했다. 그네를 태우며 같이 놀아주었더니 헨리가 내 옆을 떠나기 싫어해 한참을 같이 놀았다. 멀리 보이는 곳에는 곡식 창고가 있는 듯 새들이 무리 지어 돌고 있었고, 구름 한 점 없는 하늘에서 따스함이 쏟아져 내려왔다. 저녁에는 혼자 파스타를 만들어 먹으려는데 외국인들이 내게 파스타를 제대로 만드는 법을 가르쳐 주었다.

나는 문득 이 마을에 하루 더 있고 싶어졌다.

Buen Camino

온타나스 ➡ 보아디요 델 까미노

Day 14 Hontanas

까미노에서 만나는 외국인들은 내가 코리아에서 왔다고 하면 대개 '남이냐 북이냐'를 물어왔다. 그러면 나는 늘 이렇게 대답했다. "내가 만약 북에서 왔다면 나는 Son of King일 것이다"라고 말이다. 북한 사람이 까미노에 올 수 없는 이유를 알려 주고, 왜 그들이 늘 미사일과 핵폭탄을 준비하는지 자세히 설명해 주기도 했다.

사막 한가운데 오아시스 같은 마을을 떠나오니 저 멀리 높은 언덕이 어슴푸레하게 보였다. 오늘은 아침부터 땀 좀 흘려야겠다고 혼잣말을 하며 걸어갔는데, 언덕 앞의 까미노는 고맙게도 평탄한 옆길로 이어져 있었다. 같은 6시 반이라도 해가 조금 빨리 뜨는 것을 느꼈다. 실 같은 초승달이 또 한 번 보름달이 될 때쯤 내 여행은 끝날 것이었다.

기둥 뼈대만 남은 폐허 같은 성당을 지나, 나보다 먼저 떠났던 외국인 남녀 순례자를 추월하니 또 다른 한 남자가 앞서 보였다. 얼핏 보니 이제까지 전혀 보지 못했던 한국인이었다. 대전에서 왔는데 하루에 40km 정도를 매일 걷는단다. 빨리 걷는 편은 아닌데 놀라운 체력의 순례자였다. 여기까지 아마 9일이나 10일 정도 걸린 것 같았다.

길게 뻗은 가로수 길을 2시간 정도를 걸은 뒤에 만난 카스트로헤리츠. 마을 뒤에 폐허가 된 큰 성당이 있었다. 그 마을을 지나며 그간 궁금했던 것 하나가 해결되었다. 어떤 마을의 집을 보면 대문 옆에 철판이 있어서 '저것이 무슨 용도일까?' 했었다. 이곳에서 보니 차에 주인이 출타 중임을 표시하기 위해 그 철판을 대문 아래 대고 자물쇠를 채워 놓는다는 것을 알았다.

마을의 한가운데에는 십자가의 윗부분이 없는 형태의 돌기둥이 세워져 있었다. 아마 이 기둥은 중세시대에 죄인을 마을 광장에 매달아 놓거나 공개적인 처형을 위한 기둥이었을 것이다. 지금도 중동 지역에 가면 시장 한복판에 이런 공개처형장이 있는데 천 년이 넘는 무슬림의 헌법인 샤리아의 원칙에 따라 공개적으로 재판하고 형을 집행한다.

도시를 나와 벌판길을 한참 걸어가다 보니 먼 곳에 있는 모스텔라레스 언덕이 절벽처럼 보였다. 멀리서 보아도 거대한 것 같았다. 그곳 정상을 향해 비스듬하게 이어져 있는 까미노 루트를 보면서 조금 걱정이 되었다. 나는 그 두려움을 노래로 승화했다. 이탈리아 팀들과 같이 그곳을 향해 걸으며 이탈리아 민요인 '푸니쿨리 푸니쿨라'를 흥얼거리니, 그들도 같이 따라 부르고 길을 같이 가던 다른 외국인들도 그 노래를 다 같이 흥얼거렸다.

나는 이 언덕을 올라가기 위해 옷을 편하게 입고 스틱을 다시 고쳐 잡았다. 그리고 중간 지점까지는 위를 안 보고 걸어가겠다고 다짐하며 고개를 숙이고 길을 올랐다. '힘들다, 그러니 천천히 걷자. 그러다 보면 어느새 정상이 내 앞에 있으리라' 지리산 둘레길을 걸으며 터득한 방법이었다. 오르기 어려운 산도 아주 느리게 걸으면 그다지 힘들지 않게 올라갈 수 있다. 억지로 진행방향을 보고 싶은 마음을 꾹 참고, 고개를 숙이고 천천히 걷다 보니 중간쯤에 도달했다. 독일 하이델베르그에서 온 마티나라는 여성과 이야기를 하며 잠시 쉬었다. 내가 독일가곡 같은 성악을 좋아한다 했더니 자신의 휴대폰 벨소리가 제목이 생각나지 않는 어려운 파바로티의 노래란다. 내가 얼른 파바로티의 노래 '카루소'의 앞 몇 소절을 불러 주니 어떻게 그렇게 금방 아느냐며 깜짝 놀랐다.

올라가는 길이 비스듬하게 기울어져 있어 멋졌지만, 올라가서 내려다보는 굽이쳐 흐르는 벌판의 긴 길은 더 멋있었다. 이런 길을 올라오는 것이 내게 얼마나 큰 축복인지, 새삼스레 감정이 북받쳐왔다. 정상의 안내판에 수없이 많은 낙서가 적혀 있어 나도 내 스탬프를 찍어 이곳에 왔었음을 후대에 알렸다.

이후 언덕을 내려가 까마득한 평지 길을 가야 했다. 사람들이 걷기 지칠 때쯤 간이 쉼터가 보였다. 잠시 쉬는 그곳에서 한국인으로 보이는 초라한 행색의 남자가 내게 인사했다. 두 다리를 모두 절뚝거리는 장애인인 그는 감기가 들었는지 코밑에 허옇게 콧물이 흐를 정도로 지쳐 있었고 배낭도 없었다. 나보다 4일 전에 생장을 출발했고, 배낭은 코스마다 택배로 보내서 여기까지 걸어 왔단다. 참으로 놀랄만한 의지였다. 걷기조차 힘든 사람이 조금씩 걸어 많은 산과 언덕 그리고 벌판을 지나 여기까지 왔다는 게 믿을 수 없었다. 피레네 산맥을 넘어왔는지는 물어보지 않았다. 그는 양다리의 무릎에 두터운 무릎보호대를 차고 있었고, 한두 걸음 걷는 것도 힘들어 보였는데도 계속 걷겠다며 길을 나섰다.

끝없는 평원을 한참 가는데 앞에서 앰뷸런스 같은 노란색 차량이 다가왔다. 이제까지 걸어오면서 까미노에서 이런 차량을 보지 못했는데 사이렌 소리를 내지 않는 것을 보니 일상 순찰인 것 같았다. 내가 수고한다고 손짓을 했더니, 도움이 필요한 줄로 알았는지 바로 문을 열고 불편한 곳 있느냐고 물어오기도 했다. 조금 더 가니 순례자를 위한 산 니콜라스 병원이 있었다. 커피와 과자를 무료로 먹을 수 있고, 잠을 잘 수 있도록 침대와 구급대도 준비되어 있었다. 아마 무료 알베르게도 겸하는 모양이었다. 그곳 방명록에 내 스탬프를 찍으니 다른 사람들이 이 스탬프를 다른 곳에서도 봤다며 나를 알아보았다. 이번 여행에서 내 개인 스탬프 제작 의도는 성공한 셈이었다.

길이 지루한지 사람들이 서로 장난을 치며 지나갔다. 그래도 길은 지루했다. 혹시나 앉을 자리라도 있어서 쉴 수 있으면 좋으련만, 뙤약볕 아래에는 그럴만한 장소도 없었다. 그냥 내 의지가 아닌 다리의 본능대로 갈 뿐이었다.

그렇게 보아디요 델 까미노 마을에 도착했다. 늘 그래왔듯이 공립 알베르게를 찾아 들어갔다. 첫눈에도 무척 누추해 보여 그냥 나와서 다른 곳을 찾다가 한국인 가족을 만났다. 부모와 건장한 청년. 청년의 배낭에 반가운 태극기가 걸려 있었다. 마당에 연못 같은 수영장이 있고 정원이 좋은 알베르게를 잡았다. 벽에 그럴듯한 그림을 그려 놓았고, 정원 한가운데에는 순례자 동상도 있었다. 체크인은 했지만 주방이 없어 저녁은 알베르게에서 제공하는 순례자 메뉴로 해야 했다.

빨래를 널면 금방 마를 정도로 햇빛과 바람이 좋아 사람들은 정원의 잔디에 웃통을 벗고 누워 일광욕을 즐기거나 독서를 즐겼다. 오랜만에 사람들 얼굴이 참으로 행복해 보였다. 한국 여성 중 한 명이 수영장에 물이 없는 줄 알고 덮여 있는 비닐 덮개에 발을 올려놓다가 물에 퐁당 빠지고 말았다. 덕분에 모두 크게 웃었다. 잔디밭 위에 깔개를 펴고, 한국 청년들이 부르는 노랫소리를 들으며 저녁 시간을 보냈다. 비록 종일 걷는 것은 힘들었지만, 휴식 시간은 늘 여유가 있고 잠 잘 시간도 충분하니 모두가 견딜 수 있는 것 같았다.

Buen Camino

보아디요 델 까미노 ➡ 카리온 데 로스 코센도

Day 15 Boadilla del Camino

새벽에 어둠 속에서도 짐을 챙겨 가기 위해서는 내 짐의 물건들이 어디에 있는지 항상 기억해놔야 한다. 보통은 좁은 방에 여러 침대가 있으니 모두 자기 침대 주변에 널어놓기 마련이다. 내 물건 중 눈 뜨자마자 가장 먼저 필요한 것은 안경이다. 그렇기에 아래 침대에서 잘 때는 항상 누우면 보이는 이층 침대 매트리스 밑의 철망에 끼워 놓았다. 그런데 아침에 눈을 뜨고 안경을 찾다가 문득 늘 내가 꽂아 둔 곳에 없는 것을 알고 화들짝 놀랐다. 혹시 떨어져 다른 사람이 밟고 지나가지는 않았을까? 다행히도 떨어진 안경은 내 복잡한 짐들 사이에 온전히 그대로 있었다. 그 후부터 허리 가방을 머리맡에 두고, 그 안에 안경을 보관했다.

화장실에 가니 이탈리아인 한 명이 나를 웃기기 위해 마치 중국 영화의 강시처럼 손을 앞으로 내어 뻗고 눈을 감은 채 몽유병 환자처럼 걷고 있었다. 피곤하다는 뜻일 것이다. 문득 '인섬니아' 라는 발레 공연이 생각났다. 아무리 힘들어도 이렇게 아침을 웃으면서 즐겁게 시작할 수 있다.

맑은 하늘에 조금 남아 있는 달빛의 아름다움이 주변의 나무들, 건물들과 어울려 한 편의 실루엣을 만들어내고 있었다. 초승달이 물 위에 잠겨 있는 가운데 요란한 새소리가 새벽을 깨웠다.

어둠 속 대지에서 빛나는 것은 희미한 달빛을 받은 까미노 뿐이었다. 멋진 까스티야 운하를 따라 걷다가 옆에 보이는 작은 건물 안에 사람의 흔적을 보았다. 노숙한 순례자가 하룻밤을 보낸 곳인지 다 마신 와인 한 병이 건물 안의 돌 위에 놓여 있었다.

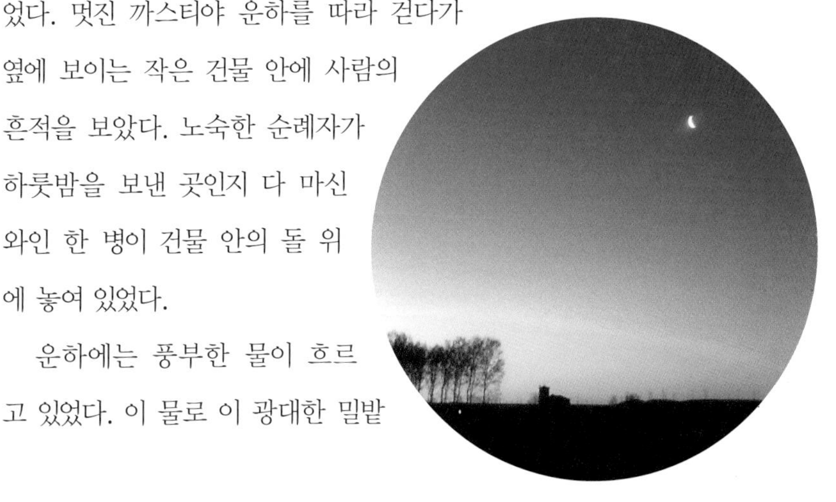

운하에는 풍부한 물이 흐르고 있었다. 이 물로 이 광대한 밀밭

을 경작할 것이다. 기록에 의하면 이 운하의 길이가 무려 200km가 넘어서 이 근처의 도시들이 풍요로운 농사를 지을 수 있다고 들었다. 밀밭을 지나다가 운하의 물을 나누어 주는 작은 수로도 자주 볼 수 있었다. 한 시간을 넘게 운하와 같은 방향의 직선 길을 걸어 프로미스타로 가는 작은 타원형 다리를 건넜다. 두 갈래로 갈라지는 곳에서 이미 다른 여자 순례자 한 명이 왼편 길로 가고 있었다. 따라가려고 멈칫거리다가 구석에 그려진 작은 이정표를 보니, 그 여자가 가는 길은 잘못된 길이었다. 순간 내 입에서 '오이가' 라는 스페인어가 튀어 나왔다. 무슨 뜻인지는 잘 몰랐지만 멕시코에서 사람들이 멀리 있는 사람을 부를 때 그렇게 말했던 게 순간적으로 생각났다. 물론 남자는 세뇨르, 여자는 세뇨라, 아가씨는 세뇨리타라고 부른다. 마침 그 여자는 스페인에서 온 여자이기에 금방 알아듣고 되돌아 왔다. 그녀는 자신의 이름이 줄리아라고 인사하며 내게 고마움을 표시했다.

어제 막 넘어온 모스텔라레스 언덕을 지나 드디어 메세타 대평원이 시작되었다. 그 이후 길은 굴곡이 없는 평야가 끝없이 이어졌다. 그리고 이 길은 거의 레온으로 가는 고속도로나 국도와 평행으로 걷게 되어 있었다. 비록 도로 옆을 걷기는 해도 까미노는 차도와 조금 떨어져 있어 차들이 속도를 내고 달려도 순례자들의 안전에는 문제가 없다. 메세타 대평원길에서는 까미노를 상징하는 조형물들이 자주 보였다. 일정 간격마다 길 양옆에 돌기둥을 세워 까미노 표시와 그 외에도 많은 돌 십자가가 세워져 있었다.

레벤가 데 캄포스 마을의 중앙광장에서 물도 보충하고, 따뜻한 햇볕에 내 신발과 양말을 벗어 말리며 한참 쉬고 있으니 뒤따라온 순례자들이 빠른 걸음으로 스쳐 지나갔다. 비야르멘테로 마을을 지나다가 코카콜라 자판기 옆에 '산티아고까지 419km' 라고 적힌 표시를 보았다. 이제 곧 300km대로 진입한다고 생각하니 다리에 힘이 생겼다. 조금만 더 걸으면 전체 거리 중 반 정도에 도달할 것이었다.

무아지경으로 걷고 있는데 포르투갈의 파르코가 언제 걸어 왔는지 내 옆에서 말을 걸어왔다. 우리는 긴 시간 동안 한국이 왜 이렇게 다른 아시아 국가들보다 경제성장이 빠른지에 대한 얘기를 나누었

고, 그에게 한국의 역사에 대해서 많은 설명을 해주기도 했다. 파르코는 다른 이들 하고는 영어가 잘 안 통하는데 나와는 잘 통한다며 나와 대화하기를 즐겼다. 나도 영어가 유창하지 않지만 파르코 역시 미국사람처럼 혀를 굴리는 영어발음은 아니라 서로가 편했다.

벌판 넘어 아주 먼 곳에 보이는 북쪽 산은 지금이 5월인데도 눈이 하얗게 덮여 있었다. 그쪽은 아마 향후 내가 걸어 보고 싶은 까미노 북쪽길일 것이다.

다음 마을에서 파르코는 약국에 들러야 한다며 마을 안으로 들어갔고, 나는 마을 입구 버스정류장에서 한참을 앉아 쉬었다. 오늘 예정된 카리온 데 로스 콘데스 마을로 이어지는 긴 길을 지났다. 마을 입구에서 지나가는 할머니에게 공립 알베르게의 위치를 물으니 산타 마리아 성당으로 가라고 했다. 여러 사람에게 물어물어 찾아갔더니 나보다 늦게 도착해야 할 한국인 단체 여행객 몇 명이 먼저 마을에 와 있어 놀랐다. 물어보니 걷다가 너무 힘이 들어 중간 카페에서 택시를 불러서 미리 왔단다.

산타마리아 성당에 무척이나 친절한 수녀님과 오스피탈레로가 접수를 해주고 침대까지 안내해주었다. 여장을 풀고 점심을 위해 밖으로 나왔더니 까미노 출발 때부터 보이던 한국인 부부가 성당 밖 광장에 우두커니 앉아 있었다. 짐을 택배로 보냈는데 도무지 어디에 있는지 모르겠다며 택배 시스템과 사람들을 원망하고 있었다.

나는 어쩌면 그들이 영어가 통하지 않아 짐을 잘못 보냈을 수도 있겠다고 생각했다. 영어를 전혀 하지 못하는데 매일 똑같은 서비스가 필요하다면, 미리 써놓고 지명과 알베르게 이름만 바꾸면 될 텐데 그렇게 하지 않는 것 같았다. 그 이후 그 부부는 더 이상 까미노에서 보지 못했다.

알베르게의 접수대 옆 방명록에 한글이 많이 보였다. 하나같이 이 알베르게에서 친절함을 느껴 감동했다고 적혀 있어서 마음에 들었다. 날이 좋아 성당 앞 광장에서 쉬고 있는데 수없이 많은 제비가 하늘을 날고 있었다. 여기에선 제비들이 마치 참새 떼처럼 몰려다녔다. 그 아래 벤치에 기대어 있는 내 모습이 한 폭의 풍경화 같을 것이라 생각했다.

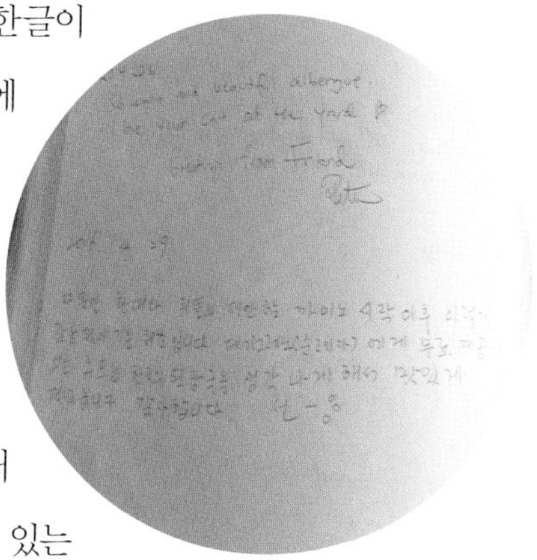

내 뒤를 이어 알베르게로 찾아온 한국 청년들이 저녁을 해먹으면서 내 식사도 같이 만들어 주겠다기에, 다음에는 내가 저녁 재료비를 모두 제공하겠다고 했다.

이 성당의 오랜 전통대로 순례자들 모두 둥글게 앉았다. 수녀님들이 기타를 치며 리드했고, 전 세계 사람들의 귀에 익은 노래로 싱어롱을 하는 시간이었다. 각 나라의 노래가 적힌 가사를 나누어 주고 우선 수녀님 네 분이 노래했다. 그 뒤 목소리가 청아한 수녀님 한 분이 노래를 하기 전에 먼저 돌아가며 자기소개를 해주기를 원했다. 전 세계에서 온 순례자들이 자기소개와 함께 순례의 목적을 이야기했다.

어떤 이는 인생의 목표를 생각하기 위해
어떤 이는 가족과 형제들의 이야기하는 시간을 갖기 위해서
어떤 이는 오래전부터 꿈꾸어 오던 소망이었기에
어떤 이는 자녀에게 용기를 주기 위해

나는 까미노에서 지상의 낙원을 보는 것 같다고 얘기했다. 모두 육체적으로 힘들지만 웃음을 잃지 않고, 남을 위해 무언가 하려는 이러한 일상이 하나님이 원하시는 천국의 일상일 것이라 이야기했다. 모두 돌아가며 이야기를 하고 나서 첫 곡을 시작했다. 흑인 영가인 찬송가 'Amazing Grace'를 부르고는 순례자들에게도 노래를 신청했다. 어떤 나이 든 미국인은 일어서 '오 대니보이'를 부르는데 손을 떨고 있었다. 형제인 듯한 호주인 두 명은 함께 중창을 했고, 브라질 여인과 한국청년의 CCM까지 들었다. 노래로 모두가 하나 되는 시간이었다.

성당 알베르게에서는 특이하게도 모든 순례자에게 야간 간식으로 렌틸콩 수프와 빵을 제공했다. 또한 트럼프나 작은 놀이 도구

들을 빌려주기도 했다. 내일 먹을 닭고기 수프를 제공하기 위해 낮부터 고기를 다듬고 있는 것을 보며, 천 년 전의 성당에서 순례자들에게 정성을 다 하던 그 전통을 이어가고 있음을 느꼈다.

나는 미국의 잭 캔필드가 쓴 '내 영혼의 닭고기 수프'라는 소설책에서 닭고기 수프는 미국인들의 몸이 지치고 힘들 때 어머니나 할머니가 만들어 주는 음식으로 소울푸드라고 불린다는 내용을 읽었던 것이 떠올랐다. 그 소울푸드처럼 걷기 힘들어 지친 순례자들에게 닭고기 수프는 그 어떤 음식보다 큰 의미일 것 같았다. 내가 오스피탈레로에게 닭고기 수프를 먹고 싶다고 했더니 하루 더 묵어도 된다며 웃었다. 나는 마음 같아서는 정말 그 알베르게에서 하루 더 있고 싶었다.

수프를 먹고 나서는 다른 사람들이 남긴 팩 와인을 냉장고에서 가져왔다. 그리고 이태리 이지노 씨와 리투아니아 모녀인 알도나와 루타, 스페인 줄리아와 포르투갈 파르코와 함께 마시며 이야기를 나눴다. 자리가 파할 즈음, 내가 언제 또다시 만날지 모르는 루타에게 고마움의 표시로 작은 한국 선물을 주었더니 눈물을 흘리며 고마워했다.

순수한 마음을 가진 전 세계의 순례자들이 모여 어두운 밤하늘의 별같이 빛나는 시간을 가진 참 아름다운 저녁이었다.

Buen Camino

카리온 데 로스 코센도 ➡ 템프라리오스

Day 16 Carrion del los Condes

까미노 순례길을 걷는 이들은 모두 산티아고에 도착하겠다는 공통의 목적이 있어 한마음으로 쉽게 뭉칠 수 있다. 하지만 만남과 이별을 언제 겪을지 모른다. 참 잘 맞는 사이라서 같이 떠나왔어도 다니는 동안 서로 의견이 달라 다른 일정으로 갈 수 있고, 따로 왔어도 서로 잘 맞아 오랫 동안 같이 다니게 될 수도 있다. 길 위에서의 만남은 늘 헤어짐을 전제로 한다.

순례길을 같이 다니기로 의기투합하는 사람도 많았지만 나는 거의 혼자 다녔다. 내 걷기 속도가 다른 사람과 다르면 서로 불편할 수 있고, 서로 감성이 다르거나 혹은 이야기에 너무 정신 팔리면 주위의 풍경이나 사물 보는 것에 소홀해질 수도 있다. 나는 가능한 내 감성대로 보고 느끼고, 걷는 속도를 조절하며 쉬고 싶은 곳에서 마음대로 쉴 수 있도록 혼자 다녔다. 그게 가장 편했다. 어차피 인생은 혼자 가는 법이다.

성당 알베르게는 순례자들이 6시 반 전에 나서지 못하도록 문을 잠가 놓기에, 미리 나갈 준비를 마친 순례자들과 그 앞에서 기다리다가 동시에 문을 나섰다. 어제저녁의 싱어롱 시간 이후 같이 묵었던 사람들과 더 친밀해진 느낌이 들었다. 노래는 사람과의 관계를 참 편하게 만들어 준다.

내 그림자보다 긴 도로의 끝이 보이지 않았다. 로터리를 몇 개 지나고 가끔 만나는 고속도로에도 차가 없어 한산했고, 순례자 외에 보이는 건 마을에서 멀리 걸어온 동네의 개뿐이었다. 잠시 쉬었다 가라는 듯 나무로 만들어진 작은 쉼터가 있었지만, 그곳에서 쉬는 사람은 없었다. 한동안 풍경이라고는 도무지 벌판밖에 없었다. 무려 4시간을 걸어서 칼자

디야 데 라 쿠에자 마을을 만날 수 있었다. 길가 카페에서 시원한 맥주 한 잔으로 갈증을 채우고 바닥에 누군가 흘린 동전 하나를 주워 기부하라고 주인에게 주었다. 여기까지 오느라 지쳐서 카페 앞에서 배낭을 집어 던지듯이 내려놓는 이들도 있었다.

또 다시 도로와 평행 길을 걸었다. 이 평원을 얼마나 걸어야 할까? 우측의 하늘 끝으로 어제 보았던 흰 눈 덮인 산맥이 보였다. 걷는 사람들이 심심했는지 가끔 길바닥에서 돌을 주워 누군가의 이름을 쓰거나 화살표를 표시해 놓았다. 다음 마을의 카페 앞 통나무 의자에 앉아 쉬면서 카페에서 흘러나오는 음악을 들으니 노곤해져서 이곳 마을에서 하루 쉬고 싶은 생각이 간절했다. 그러나 오늘 가기로 한 템프라리오스 마을까지는 멀지 않아 계속 걸어갔다. 하늘을 보았더니 구름 한 점 없고 가끔 실바람 정도만 불었다. 만약에 여름에 이 길을 걸었다면 아마 소금 없이는 걷지 못할 정도로 탈진했을 것이다. 방학을 이용하여 까미노를 걷는 대학생들에게 메세타 대평원은 아마 가장 극복하기 힘든 코스일 거라는 생각도 들었다.

힘든 길을 걷고 있는데 마주 오는 순례자를 만났다. 그는 산티아고에서 출발하여 생장까지 걷는다고 말했다. 산티아고 까미노는 제 코스로 걸어본 사람이 아니라면 역으로 걷기 힘들 것 같다. 모든 방향표시가 산티아고로만 표시되어 있어 역으로 걸을 때는 화살표를 찾지 못할 경우가 많다. 그러나 이 길은 바이크 순례자들에게는 최적의 조건이었다. 도무지 거칠 것이 없는 직진 길이라 조심할 것도 없었다. 그저 뻗은 길로 페달을 힘차게 밟아 달리기만 하면 된다.

마을 가운데쯤 있는 공립 알베르게를 찾아 들어가니 접수하는 주인이 한국말로 인사를 건넸다. 아마 한국인들이 많으니 꼭 필요한 한국 단어들은 배워 놓은 것 같았다. 접수증에 개인 서명하는 칸이 있어 "Firma(피르마)?" 하고 물었더니 한국말로 Firma를 뭐라고 하는지 알려 달란다. 사인이라는 영어가 더 보편적이라고 대답해주었는데도 굳이 서명이라는 말을 배우더니 되풀이하며 외우는 것 같았다. 직업 정신을 제대로 가진 사람이었다.

길고 긴 길을 걸어온 한국 단체와 청년들 그리고 루타 모녀를 비롯한 순례자들이 이곳 알베르게에 짐을 풀었다. 정원에서 일광욕을 즐기는 이들이 있어 나도 의자에 앉아 하루의 여정을 메모하며 쉬는데, 어제 산타 마리아 성당에서 내가 기타 치며 노래를 부르는 것을 본 외국인이 어디에선가 기타를 가져와서 나보고 노래를 불러 달라고 말했다.

나무 아래에서 기타를 치며 한국 포크송들을 연이어 작은 목소리로 불렀다. 그러다 손가락이 아파 잠시 기타를 내려놓으니 어제 알베르게에서 만난 미국인 크리스천 남자가 기타를 이어받았다. 그런데 이 미국인의 기타 솜씨가 참 좋았다. 일반 3화음 코드가 아니라 노래에 맞는 온갖 특정 코드를 찾으려고 애썼다. 우리는 존 덴버의 'My Sweet Lady'를 함께 불렀고, 정원에서 편하게 쉬고 있던 사람들이 박수를 보내며 더 불러 주기를 원해 우리는 연이어 미국 포크송들을 노래했다.

나와 동갑인 그가 미국 교회에서 방송음향 담당을 하고 있다고 하기에 찬송가를 같이 부르자고 청했다. 서로 즐겨 부르던 찬송가를 골라 둘이 화음을 맞추어 가며 불렀다. 오랫동안 사이좋게 앉아 그는 영어로 찬양하고 나는 한국어로 찬양했다. 그렇게 화음을 나누고, 낯모르는 사람들 사이의 정을 나누었다.

Buen Camino

템프라리오스 ➡ 라네로

Day 17 Templarios

지난밤 누군가의 스마트폰 벨소리가 나를 몇 번이나 일어나게 했다. 알고 보니 내 바로 옆에서 귀마개를 하고 일찍 잠든 이지노 씨가 자신의 전화 벨소리를 못 들었던 것이었다. 그리고 중대한 일인 듯 어두운 방에서 열심히 누군가와 문자로 대화했다.

오늘은 라네로까지 30km가 넘는 먼 거리를 걸어야 했기에 일찍 출발했다. 내 등 뒤로 보이는 아침 일출 풍경이 가히 환상적이었다. 하늘에는 실바람이 부는 듯 새털구름이 아름다웠고 하늘 빛에 반

사되어 흰 광목 같은 흙길이 조금씩 물결치는 밀밭처럼 흔들리고 있었다.

산 니콜라스 마을을 지나 도착한 광장에는 두 개의 석탑이 마주 보고 있었다. 마치 인도네시아 발리섬에서 많이 본 음양의 문처럼 석탑은 똑같은 모양으로 휑한 벌판에 선 것이었다. 한쪽 사람이 든 문서에 'ORA ET LABORA'라고 쓰여 있어 나중에 검색해 보니 '기도하고 일하라'라는 이탈리아어였다. 수도원 건물이 모두 폐허가 되어 철거하고 이 석탑 조각물만 남겨 놓은 것 같았다.

까미노 중에서 제법 큰 도시인 사아군에 도착했다. 입구에 있는 커다란 호텔이 도시의 규모를 말해주는 것 같았다. 오랜 시간 걸었더니 갈증이 났다. 쉬기도 할 겸 호텔의 지하 카페에 들어가 오렌지 주스를 마시는데, 어찌 된 일인지 다른 순례자들도 모두 이곳으로 들어와서 쉬었다. 순례자들의 생각은 모두 똑같은 것인가?

도시 외곽으로 기차가 다니는 조용한 도시를 지나가는데, 작은 가게 앞에서 쉬고 있던 스페인의 줄리아가 이제 자신은 집으로 돌아갔다가 나중에 시간이 나면 이곳에서 산티아고까지 갈 것이라고 말했다. 우리는 헤어짐의 인사를 나누었다.

까미노는 사아군의 중앙로를 통과하지는 않는 듯 조용한 주택가 골목을 지나 도시를 빠져나갈 수 있었다. 세아강을 건너는 큰 다리를 지나고나서는 아주 긴 도로 옆을 걸었다. 라네로를 향해 가는 길은 한낮을 더 뜨겁게 만드는 아스팔트 도로 옆을 지나게 되어 있어 그 열기가 순례자를 고통스럽게 만들었다. 차도 자주 다녀서 소음 때문에 더 불편하기도 했다. 그저 아무것도 생각할 겨를 없이 태엽을 감은 장난감 인형처럼 걷고 있을 뿐이었다. 사아군에서 한 시간 정도의 거리에 세워져 있는 커다란 길 안내 지도에 보이는 두 개의 까미노 방향이 하나는 실선, 하나는 점선으로 그려져 있었다. 미리 숙지한 바에 의하면 여기서 라네로로 향하는 일반 까미노와 로마 도로를 이용하여 먼 길로 우회하는 길이 갈라질 터였다.

그때 말을 탄 순례자가 앞에서 오는 걸 보았다. 생장을 향해 가고 있다고 했다. 얼굴이 검게 그을린 것을 보아 아마 산티아고 순례 후 되돌아가는 것 같았다. 용서의 언덕에서 보았듯이 순례자는 걷기도 하고 천 년 전처럼 말을 타기도 한다.

라네로에 도착하니 넓은 중앙로 한 쪽에 쌍용자동차의 무쏘가 보여 반가웠다. 인적 없는 마을에서 다른 순례자에게 물어 공립 알베르게를 찾아 방을 내정 받았는데, 미리 도착해있던 포르투갈의 파르코가 우리 둘이 같은 방이라는 것을 알고는 오스피탈레로에게 가서 방을 바꿔주길 강력하게 부탁 했다. 지난밤에 내가 코 고는 소리 때문에 잠을 못 잤다는 것이 이유였다. 난감해하던 주인은 다른 방을 배정해주었고, 다른 이들에게 이 사람이 코를 조금 고니까 양해를 구한다고 말했더니 다들 괜찮다고 답했다. 그 방의 순례자 중에는 어제 숙소에서 내 노래를 들은 사람들도 있었다.

그러다 문득 오늘 아침에 내가 왜 이지노 씨를 보지 못했는지 궁금해졌다. 지난밤, 같은 방의 사람들이 잠든 시간에 이지노 씨가 통화를 한다고 파르코가 불평했는데 혹시 아침에 둘의 언쟁이 있었던 것은 아닐까? 혹시 늦잠을 잤나? 그 이후 그를 보지 못했다. 내가 그에게 했던 이야기가 있다. “10년 뒤에 까미노를 다시 찾아오면 당신과 같은 방법으로 걷고 싶다”는 말이었다. 그는 이 말을 듣고 그냥 허허 웃을 뿐이었다. 참 오래 만나고 싶었던 사람인데 인사도 못 하고 헤어져 참 아쉬웠다.

라네로는 조그만 마을인지 알베르게가 부족했다. 시간이 얼마 지나지 않아 알베르게는 금방 만원이 되었다. 늦게 도착한 이탈리아 팀 중 절반은 이곳에서 숙소를 잡았지만 나머지는 자리가 없어 큰 도시 레온으로 간다고 택시를 타고 가버렸다.

여장을 풀고 옷을 갈아입으려다 문득 밤에 잘 때 입는 오렌지색 반팔 티셔츠가 보이지 않는 걸 알아챘다. 아차! 오늘 아침 어둠 속에서 옷을 갈아입는다고 침대 옆 라디에이터에 걸어 놓고 그냥 나온 것이 그제야 생각났다. 숙소 방문을 나서다가 다시 되돌아와 내 침대 주변과 밑바닥을 살피는 습관이 있었는데, 오늘은 그런 과정을 거치지 않은 것이다. 이제까지 조심했는데 실수한 것이 못내 아쉬웠다.

저녁에 마트에 갔다가 또 다른 형태의 순례자를 보았다. 당나귀에 온갖 숙식용 생활용품과 당나귀 먹이통까지 매단 헝가리 남자가 당나귀에게 먹이를 주고 있었다. 생소한 장면이었다. 짐을 정리하기에 어디로 가느냐고 물었더니, 캠핑을 하며 산티아고까지 다녀온 후 지금 부르고스로 되돌아가서 일본 사람에게 당나귀를 넘겨주기로 했다고 한다. 그는 내게 스탬프를 찍어 준다 했지만 종이가 없어서 사양하니 우리가 왔던 방향으로 당나귀의 엉덩이를 막대로 치며 걸어가 버렸다.

알베르게가 만원이 되어 오스피탈레로도 접수 장부를 치우고 나가버린 때였다. 순례자들이 문에 붙어있는 'Completo(완료)' 라는

표시를 보고 발길을 돌렸는데 뒤늦게 온 독일 여성 한 명이 문 앞에 쪼그리고 앉아 무작정 오스피탈레로를 기다리고 있었다. 나중에 그 여성이 여장을 풀고 옷을 갈아입었기에 어찌 된 일이냐고 물었더니 오스피탈레로에 간청해서 그녀의 방에서 같이 자기로 했다고 말했다. 참 집요하다는 생각이 들었다. 가끔은 이런 고집이 필요할지도 모른다.

청년들과 함께 파스타와 계란말이로 맛있는 식사를 준비했는데, 갑자기 어디선가 비 온다는 외침이 들렸다. 청년들은 너나 할 것 없이 서둘러 나가 빨래를 걷고 다른 사람들의 빨래까지 걷어 실내로 옮겼다. 착한 사람들이었다.

밤에 자는데 누군가 나를 건드리는 느낌을 두 번 느꼈다. 아마 내 코 고는 소리 때문일 것이다. 그 뒤로 나는 밤새 천둥 치는 소리와 거센 비로 창문이 흔들리는 소리로 인해 깊게 잠들지 못했다.

Buen Camino

라네로 ➡ 레온

Day 18 El Burgo Ranero

지난달 18일에 파리를 떠나온 이래 면도를 하지 않았다. 나는 내 턱수염에 아직은 까만 털이 많이 날 줄 알았는데, 거의 다 흰 털이었다. 턱수염이 생긴 이래 이렇게 길게 길러 보기는 생전 처음이었다. 이제는 콧수염과 턱수염을 손으로 잡아당기면 살갗이 같이 따라온다. 그 기분이 묘하게 좋았다. 이때 아니면 언제 기르랴. 지난 직장생활 동안 해외 출장을 다니면서 나이 든 외국인들이 흰 머리에 청바지를 입고 곱게 빗은 긴 뒷머리를 고무줄로 묶어 꽁지머리

를 하고 다니는 것이 부러웠다. 그런데 외국인들처럼 내 수염은 그리 숱이 많이 없어 보기엔 좀 그렇다. 미국의 컨트리 음악 가수인 케니 로저스같이 되고 싶었는데, 수염을 더 기르더라도 힘들 것 같았다. 이곳에서는 내 모습에 대해서 뭐라고 하는 이도 없으니 이참에 꽁지머리를 해볼까?

비가 오고 있었다. 간밤에 천둥과 거센 바람 소리에 걱정했는데 다행히 길에 왕관현상이 생길 정도의 소나기는 아니었다. 일찍 나가려는 순례자들은 대문을 열기 전부터 우비를 착용했다. 비가 와서 더 어두워진 마을을 지나는데, 그간 아침에 나를 즐겁게 해 주던 새소리는 사라지고 개구리 울음소리만 들렸다.

이제까지의 길과 달리, 여기는 무성한 잡초와 안개꽃으로 보이는 흰 꽃과 노란 꽃이 가득 피어있었다. 날이 훤히 밝아 오는데 어디선가 기차 소리가 들려왔다. 어제 알베르게의 벽에 기차 시간표가 적혀 있길래 레온가는 기차가 지나가는구나 했었다. 비록 멀어 자세히 보이지는 않았지만 차량수가 많은 걸 보니 화물 기관차인 것 같았다. 아니나 다를까 한참 뒤에 차량 2개를 달고 다니는 승객용 기차가 기적을 울리며 지나갔다.

그동안의 밀밭은 아무리 넓어도 바람에 쓰러진 것을 보지 못했는데 이곳은 마치 벼 쓰러지듯이 밀들이 군데군데 쓰러져 있었다. 게다가 유채꽃도 마구 자란 야생화같이 자라고 있었다.

길가 나무에 누군가 모조 꽃다발을 단단히 묶어 걸어 놓았다. 무슨 의미일까? 아마 오랜 세월 동안 순례자들의 카메라 포커스가 이 꽃다발에 맞춰졌을 거라는 생각이 들었다. 무려 13km나 걸어서야 첫 번째 마을인 렐리고스에 도착했다. 비교적 커피 값이 싼 카페에 들어가 큰 사이즈의 뜨거운 커피를 즐겼다.

당초 까미노를 시작할 때부터 내 일정은 32일에 맞추어져 있기에 라네로에서 약 19km 지점의 마을인 만시야 데 라스 뮤라스에서 멈추기로 되어 있었다. 비가 조금 내려서 걷기 편했기에 이 속도로 가면 오늘 목적지까지 오전 11시경 도착할 수 있을 것 같았지만 그건 너무 이른 시간이었다. 문을 연 알베르게도 없을 것 같아 그냥 더 걷기로 했다.

이 마을에는 야영자들을 위한 시설이 있었으나 누가 야영한 흔적은 없었다. 아마 지난밤 비로 인해 야영하기 어려웠을 것이다. 비가 와 강물이 흙탕물로 변해 큰 소리를 내며 흐르고 있었다. 길가 바위도 축축하여 앉아서 쉴 곳도 없었는데, 만시야 가까이 와서야 어느 문 닫힌 주택 옆 주차장에 빈 공간을 있길래 들어가서 한참을 쉬었다. 그러다 숲길 옆을 지나는데 마주 오는 사람이 한 손에는 작은 봉투를 들고 길에서 무언가를 주워 봉투에 넣고 있었다. 비가 오니 길에 많이 나와 있는 달팽이를 줍는 것이 아닌가 생각되었다. 달팽이가 고급 요리의 재료로 쓰이는 곳이니 내 추측이 맞을 것 같았다.

아직 이른 시간이었지만 만시야에서 점심을 먹기 위해 들어간 식당에서 따뜻한 수프 같은 음식을 먹을 수 있었다. 다시 길을 나서며 가깝게 지내는 한국인 청년들에게 비가 와서 걷기에 최상이 조건이 되었으니, 오늘 레온까지 갈 거라고 메신저로 알려 주었다.

빗길을 한참 걸어 푸엔테 비야렌테를 지나고 이후로도 끝없는 평원을 걸어 아르카우에하 마을 입구에 도착해서야 쉼터를 만났다. 오래전에 만든 마을 공동 쉼터에 급수대가 있었는데 무슨 일인지

먹지 못하는 물이라고 적혀있었다. 아마 오랫동안 관리를 하지 않은 것 같았다. 그리고 그 위에 써 있는 반가운 거리 표시. 산티아고가 307km 남았다는 표시였다.

'아! 이제 곧 300km대로 들어가는구나.'

그러고 보니 이제까지 대평원을 거의 오르막 없이 걸어왔는데 며칠 만에 다시 작은 언덕을 올라가고 있다는 걸 깨달았다. 대평원이라도 해발 800m에 있기에 이미 그 자체로도 북한산 정도의 높이에서 걷고 있는 거나 마찬가지였다. 인적 없는 마을 길, 문을 연 카페도 없다. 그냥 걷는 수밖에…….

특별한 지형지물 없이 걷기를 또 한 시간. 왼쪽에 집들이 듬성듬성 보였다. 발데라후엔테 마을을 지나 조그만 언덕을 올라가는데 큰 개 한 마리와 작은 개 한 마리가 언덕 위 10m 전방에서 어슬렁거리고 있었다. 그걸 보고 머리칼이 쭈뼛 솟고 등골이 오싹해졌다. 혹시 공격하지 않을까 걱정되어 일부러 발길을 천천히 옮겼다. 개들도 내 눈치를 느낀건지 슬금슬금 옆으로 비켜 주었다.

빗길을 한참을 걸어서야 레온이 가까워지는 듯 집들이 많아졌다. 아직 특별한 마을 표시가 나타나지는 않았지만, 주택 단지가 아닌 상업건물들이 갑자기 시야에 보이는 걸 보니 도시 외곽인 것 같았다. 중세시대에 순례자들이 타고 다니던 말의 발굽을 고치고 물을 먹이던 곳이 있던 것처럼 이곳에는 문명의 주막이 있었다. 나는 그 문명의 거리 속에서 전통 방식을 따르는 순례자일 뿐이었다. 그러고 보니 자동차를 못 탄 지 벌써 18일째였다.

차도를 넘어 길 건너편으로 가는 육교가 지그재그식 경사형이었다. 자전거를 타고 지나갈 수 있도록 해둔 모양이었다. 비가 와 질퍽한 길을 조금 더 걸으니 눈앞에 레온이라는 대도시의 위용이 펼쳐지고 있었다. 그런데 이때 내 다리가 뻣뻣해지고 마비가 오는 것 같은 느낌이 들었다. 오늘 조금 무리를 한 듯 했다. 이 상태에서 더 걸으면 아무래도 앞으로의 일정에 문제가 생길 것 같아 앉을 곳도 없는 다리 입구의 바닥에 무조건 주저앉았다. 그렇게 한참을 쉬며 다리를 마사지하고 있는데 지나가던 다른 순례자들이 내가 이상한 곳에서 쉬고 있으니 걱정스러운 듯 말을 건넸다. 종아리를 많이 주무르니 뻣뻣했던 다리가 조금 풀어지는 것 같았다.

이후 완전한 문명의 도시로 들어섰다. 길옆 성당의 종탑 꼭대기와 양쪽 어깨 부분에 황새들이 집을 짓고 아래를 내려다보고 있었다. 마치 우리나라 숲 속 나무 위의 까치집을 보는 것 같았다. 도시를 가로

지르는 강의 물이 불어, 고수부지를 넘어올 기세로 세차게 강물이 흐르고 있었다.

로터리 건너편에 낯익은 맥도날드와 KFC 광고판이 보이자, 갑자기 사라져 가던 힘이 솟았다. 보도 바닥에 그려진 화살표를 따라 시내를 한참 걸었다. 복잡한 거리에서 알베르게 방향 표시가 여러 개 보였지만, 공립 알베르게는 아닌 것 같아 다른 곳으로 가니 오래된 성벽과 건물이 있었다. 그리고 이쯤에서 알베르게가 보일 것 같아 두리번거리니 배낭을 멘 사람들 몇 명이 길가 행인에게 길을 묻고는 어디론가 우르르 가는 게 보였다. 나도 곧장 그들을 따라갔더니 산타 마리아 성당에서 운영하는 알베르게가 있었다. 이제 알베르게도 감각으로 찾을 수 있는 프로가 된 것이다.

그 성당에 사람들이 줄 서서 기다리고 있었고, 방을 안내해 주는 오스피탈레로가 와서 대기자 숫자를 세고, 접수하는 이에게 인원수를 가르쳐주고 있었다. 나는 어쩌면 내가 늦게 도착했으니 커트라인에 걸려 다른 곳을 찾아야 할지도 모른다는 생각을 했다. 하지만 여유가 있었는지 곧 숙소로 들어갈 수 있었다.

시간을 보니 하루 동안 거의 9시간을 걸은 것 같았다. 거리상으로는 약 38km. 그래도 평지라 그렇게 긴 거리를 걸을 수 있었고, 비가 왔기에 덥지 않아 가능했다. 접수를 하며 옆에 주방 겸 라운지에 있는 사람들을 보니 거의 모르는 얼굴들이었다. 지하로 내려가는 빼곡한 이층 침대의 좁은 공간에 짐을 풀고 우선 땀에 젖은 옷을 벗어 양말과 속옷만 빨고 나머지는 그냥 비닐봉지에 챙겨 넣었다. 워낙 사람이 많고 비가 오니 빨래를 해도 널어 놓을만한 곳도 없었다. 문 앞 침대라 밤에 약간 불편하겠다고 생각되었지만 찬밥 더운 밥을 가릴 처지가 아니었다. 습기로 방이 너무 눅눅한 느낌이 들어 밖으로 나왔더니 안면 있는 이탈리아와 독일 친구들이 나보고 한국말로 '안녕' 하며 반갑게 인사를 건넸다. 언젠가 나보고 한국말로 Hello가 무엇이냐고 묻기에 가르쳐 주었더니 나를 보면 꼭 '안녕' 하고 인사를 건넸다. 나는 그들에게 '차오' 하고 답변했다. 우리는 늘 그런 식으로 늘 인사를 나누었다. 이들도 나처럼 오늘 긴 거리를 걸은 것 같았다.

문득 한국인 가족으로 보이는 이들의 대화가 들렸다. 맥도날드로 식사하러 가는 듯해서 얼른 우비를 들고 나가 동행했다. 그들이 출력해온 지도를 들고 행인에게 길을 물어 맥도날드 대신 버거킹을 찾을 수 있었다. 여자분과 마주 앉게 되었는데 갑자기 내게 "혹시 까르미나님 아니세요?"하고 물어서 깜짝 놀랐다. 초면인데 나를 알고 있던 것이다. 알고보니 네이버 카페 까.친.연(한국까미노친구들 연합)의 글에서 내 얼굴을 보았단다. 출발 전 한국에서 내가 '이제 떠날 준비를 마쳤다' 며 배낭을 멘 사진을 올렸는데, 글에 댓글도 달았기에 내 얼굴을 기억한다는 것이었다. 그런데 그때와 달리 모자도 쓰고 수염도 가득한 나를 알아보는 것이 참 신기했다. 그 분의 아이디를 듣고 내 글에 자주 댓글 단 사람이라는 걸 알아챌 수 있었다. 대가족을 이끌고 다니는 그 여자 분이 존경스러웠다.

식사 후 그들과 시내를 돌아보기로 했다. 금요일 저녁이라 그런지 비가 오고 있어도 사람들이 거리에 가득했다. 대성당 앞의 광장의 한구석에 어느 책자에서 본 '레온'이라는 커다란 상징 표시가 반가웠다.

성당에서 저녁 식사를 예약한 사람들이 어디론가 몰려갔고 나는 저녁 9시가 되기 전에 침대로 올라가 잠을 자려고 노력했다. 하지만 몸이 무척 피곤한 상태인데 이상하게도 잠이 오지 않았다. 그러다 내가 저녁 식사 때 먹었던 콜라의 카페인 성분 때문이라는 것을 뒤늦게 깨닫고 후회했다. 간밤에 방문이 자주 열려 누군가 불평하는 소리가 들렸지만, 내게는 비몽사몽 꿈속인듯 아득하게 들렸다.

Buen Camino

레온 → 산마르틴

Day 19 Leon

천 년 전, 슬리퍼를 신고 나무지팡이와 봇짐 하나 둘러멘 순례자들이 이곳 성당에서 묵게 되었을 때를 상상해보았다. 그때도 이들은 순례자들에게 잘 곳과 먹을 것을 제공하고 아픈 곳을 치료해주었을 것이다. 1인당 겨우 5유로의 숙박료를 기부금으로 지불했을 뿐인데, 지난번 코센토의 산타마리아 성당은 저녁에 수프와 빵을 제공하였고 이곳 레온의 성당에서는 아침에 빵과 커피를 무료로 나눠주었다.

레온은 유명 관광지이자 대도시라 새벽 길거리에 밤 사이 나온 잔해물과 토사물이 자주 보였다. 비는 오지 않고 있었지만 지난 밤 내린 비로 새벽의 거리는 가로등의 은은한 불빛이 도로에 반사되어 아늑한 장면이 펼쳐졌다. 까미노 이정표는 레온의 유명 유적지를 돌아가도록 설정이 되어 있는지 자꾸 도로의 골목들을 꺾어가며 걷고 있다는 게 느껴졌다.

대성당 앞을 지나고 예쁜 꽃들이 심어져 있는 광장을 지나, 동상 하나를 마주했다. 순례자가 지쳐서 신을 벗은 채 손을 단정히 모으고 하늘을 향해 눈을 감고 있는 모습이었다. 나는 그 순례자의 차디찬 손을 꼭 잡아주며 나도 당신의 뒤를 따르겠다고 다짐했다.

주말이라 거리에 차도 없고 한산해서 걷기에 불편함은 없고 고즈넉해서 좋았다. 길가에 이상하게 다각형으로 지은 건물이 있는 것을 보고, 그제야 레온에 스페인의 천재 건축가 가우디의 작품이 있어 찾아본다고 한 것을 까맣게 잊고 있었다는 걸 깨달았다.

비가 계속 내려 강폭이 넓은 베르네스가 강물은 흙탕물이 되었고 다리 밑에 낙차가 큰 곳이 있어 물 흐르는 소리가 요란했다. 하늘에는 먹구름이 가득해서 금방이라도 소나기가 쏟아질 것 같았다. 지난 며칠간 대평원을 걸을 때는 아침에도 추운지 몰랐는데 비가 오니 손이 시려워 얼마 전에 사 둔 털실 장갑을 꺼냈다. 기분까지 한결 나아지는 것 같았다. 털실 장갑을 산 뒤로 날씨가 따뜻해져서 사용도 못 하고 짐만 되나 하고 후회했었는데 기우였다. 다리를 건너 도심을 빠져나가고 있지만 큰 도시이다 보니 다리를 건너서도 숲이 나올 때까지 시간이 오래 걸렸다.

이틀에 걸쳐 걸어야 할 거리를 어제 한꺼번에 걸어서인지, 무릎에 통증이 왔다. 그때마다 걷는 속도를 줄였더니 어느 순간부터 통증이 사라졌다. 도심이 끝나는 곳에 있는 낮은 오르막을 걷는데 눈앞에 이상한 토굴집들이 보였다. 언덕의 지형을 그대로 이용한 채 건물과 언덕이 하나가 되도록 집을 지었다. 그러니까 언덕 기슭에 집의 일부가 파묻혀 있는 것이다. 굴뚝도 땅속에서 솟아오른 것처럼 보였다. 저런 곳에 살면 완벽한 방수와 방충 등의 조치가 해결되어야만 할 것 같았다. 아무리 바람이 불어

도 우풍은 없을 것 같지만, 비가 많이 오면 지붕 위의 흙이 쓸려 내려와서 입구가 막힐 상황에 대한 대비도 필요해보였다.

낮은 언덕을 올라가는데 작은 배낭을 메고 내 옆을 지나쳐 뛰어가는 이를 보았다. 혹시 저 사람도 순례자일까? 이제껏 뛰어서 가는 사람은 본 적이 없었는데 배낭이 조금 가벼워보이는 걸 보니 작심하고 먼 거리를 뛰어 가는 것 같았다. 만약 동네 사람이 아침 운동을 하는 것이라면 굳이 배낭이 있을 필요가 없지 않은가?

고속도로를 따라가는 비탈길 흙바닥이 완전히 진흙탕이 되어 버려 도저히 피할 수가 없었다. 다른 순례자들도 이런 길은 도무지 걷기 어렵다고 생각했는지, 위험을 무릅쓰고 차도와 진흙탕 길을 가로막은 철조망을 넘어 도로 옆의 갓길을 걷기 시작했다. 이정표는 없었지만 길을 잘 아는 듯한 사람들이 저 앞에 도로를 따라 걷고 있기에 나도 무작정 따라갔다.

그 길을 걷다가 원래의 까미노 길을 보니 이정표대로 걷는 다른 사람들이 진흙탕을 조금이나마 벗어나기 위해 비탈 언덕길의 잔디밭 위로 가서 고생하고 있는 것이 보였다. 어쨌든 조금 위험하긴 하지만, 차들도 사람들이 걸으니 속도를 줄여 주는 것 같았다. 덕분에 간신히 제 코스로 돌아올 수 있었지만 가는 곳마다 물웅덩이와 진흙이 문제였다. 만약 발목까지 덮지 않은 트레킹화를 신었다면 아마 신발이 흙 속에 파묻힌 채 발만 빠져나오는 낭패를 당했을 것이다.

작은 마을에 들어서서 무너진 성당의 종탑에 황새들이 집을 지은 걸 볼 수 있었다. 그때 10m 전방쯤에 누군가 자기 집 앞에 순례자를 위한 간식을 바구니에 담아 창문틀에 걸어놓은 게 보였다. 바구니에는 과일, 과자, 땅콩, 사탕 등이 있었고 바라는 것은 방명록에 한마디 인사를 쓰고 스탬프를 찍어가라는 부탁뿐이었다. 그곳의 사진을 찍고 있으니 주인이 창문으로 나를 바라보았다. 고맙다며 눈인사를 하고 몇 가지 간식을 먹고는 그분의 따뜻한 마음에 보답하고자 선물을 드리려고 창문을 두드렸다. 하지만 방에 없는 듯 답변이 없었다. 그래도 전해 드리고 싶어 고민하는데 지나가던 파르코가 우체통에 넣으라고 알려 주기에 그곳에 넣고는 둘 다 기뻐하며 손을 마주쳐 하이파이브를 하고 헤어졌다.

길이 너무 불편해 레온에서 약 21km 지점에 있는 비야단고스 델 파라모 마을에서 하루를 쉬고 갈까 생각했다. 까미노 길의 한 블록 건너편에 있는 카페에서 점심을 먹는데 얼굴을 익히 아는 키 큰 외국 순례자들이 우르르 밀려들며 반가움을 표시했다. 얼굴 익은 한국인들이 없으니 누구라도 아는 얼굴이면 반가웠다. 식사하고 나니 발이 편해져 다시 걸었다. 그러다 이제까지 보지 못했던 커다란 옥수수 밭과 마주쳤다. 비록 수확이 끝나 밑동만 남긴 상태이지만 밭에 너저분하게 있는 것들이 모두 옥수수였다. 밀밭처럼 이곳도 끝없는 옥수수 밭이 이어졌다. 참 거대한 농장이었다. 길가 커다란 나무숲에는 나무들이 흔들릴 정도로 새들이 떼로 몰려와 앉았다.

아마 옥수수는 새들이 좋아하는 먹이라 이렇게 모여 있는 것 같았다.

산 마르틴 마을로 들어가는 입구에 커다란 알베르게가 있었지만 마을과 거리가 멀어 한참을 더 걸었다. 카페를 겸한 공립 알베르게를 발견해서 접수를 기다리다가 여자 주인의 말투가 퉁명스러워서 그냥 나와 버렸다. 나중에 어느 한국 순례자에게 들으니 그곳은 밤에 너무 추워 혼났다고 한다.

조금 더 가서 사설 알베르게에 들어가 접수를 했다. 얼굴에 몇 개의 피어싱을 하고 염색한 레게 머리의 여자 주인을 보고 잠깐 거부감이 들었지만, 주방이 있고 침대 사이도 여유 공간이 많아 마음에 들었다. 처음 보는 한국인 부부가 쌀이 있다며 밥을 지었고 나는 파스타를 만들었다. 마트에서 사 온 와인과 함께 저녁을 나누어 먹으니 생기가 도는 듯했다. 비록 압력솥으로 고슬고슬하게 지은 밥은 아니고 냄비로 지은 질척한 밥이지만, 지난달 15일 한국을 떠나온 이래 처음으로 먹어본 쌀밥이었다. 나는 기분 좋게 한 병 정도의 와인을 다 마셔 버렸고, 어제와는 달리 한적한 알베르게에서 편하게 잠을 잤다.

Buen Camino

산마르틴 → 아스토르가

Day 20 San Martin del Camino

과거에 순례자들은 어떻게 산티아고까지 갔을까? 걸어서 가거나 마차를 타고, 말을 타고, 뱃길을 따라서 가는 등 여러 방법이 있었겠지만 그 어느 것도 쉽지 않았을 것이다. 수많은 강도가 있었을 테고, 이교도의 살해 위험도 있고, 숙소도 별로 없었고, 가는 곳마다 선교의 임무도 있었으니 지금보다 더 많은 세월을 길에서 보내며 산티아고로 갔을 거라 생각한다. 당시에도 누군가 까미노를 걸으며 쓴 후기가 기록되어 있다면 꼭 읽어 보고 싶다.

아침에 문을 여니 비가 주룩주룩 내렸다. 전날보다 단단히 각오해야 했다. 마을 중간쯤에서 화살표 방향이 각각 다르게 그려져 있어 먼저 길을 나선 외국인 한 명이 직진 길과 골목 사이에서 갈팡질팡하고 있었다. 내가 보기에는 직진하는 길이 까미노이고 골목길은 알베르게로 가는 화살표일 것이라고 얘기했더니 자기는 골목으로 들어가 보겠단다. 걷다 보니 내 말이 맞았다. 나는 제대로 까미노를 향해 가고 있었고, 그는 한참 후 멀리 마을을 돌아 다른 방향에서 내가 걷는 방향으로 나오고 있었다.

도로를 따라 좁은 오솔길을 걸어야 했다. 그런데 길이 너무 좁아 내 바지에 계속 풀잎이 스쳤다. 방수기능이 있는 신발을 신고 있었지만 그래도 고인 빗물을 밟지 않으려 무던히도 애를 썼다. 그러나 그것도 잠시뿐, 계속 좁은 풀숲 길로 다니니 바지가 무릎까지 금방 젖어 버리고 바지 속으로 스며든 빗물이 신발 속까지 스며들어 오니 어찌할 도리가 없었다. 욕심 같아서는 전처럼 차도 위로 올라가 걷고 싶었지만, 그곳에는 갓길이 없어 위험하기에 감히 엄두를 내지 못했다.

푸엔테 데 오르비고에서 아침을 먹으며 신발을 벗어 뒤집으니 물이 주르륵 흘러나올 정도였다. 양말을 짜고, 테이블 위 냅킨을 잔뜩 꺼내 신발 속에 쑤셔 넣어 물기를 제거했지만 임시방편일 뿐이었다. 그렇게나마 처리하고 다시 신발을 신으니 고였던 물이 제거되어 조금은 나은 편이었다. 이후로 폭이 아주 넓고 아치가 20여 개 정도로 많은 오르비고 강 위의 다리를 건넜다. 다리를 건너는 순례자 외에는 인적도 없었다. 마을을 지나 다시 긴 벌판길. 그래도 벌판길은 넓어서 물웅덩이는 피해서 걸을 수 있었다.

마을을 지나는데 두 남자가 배낭도 없이 우산을 들고 까미노를 걷다가, 진흙탕 길을 만나 난감한 표정을 짓고 있었다. 물론 나도 같은 상황이기에 신경 써줄 수 없었다. 다행히 그 흙탕길은 그다지 길지 않아 금방 아스팔트 도로로 나올 수 있었다. 오스피탈 데 오르비고 마을을 지나고, 아직 쉴 시간은 아니었지만 산티바녜즈 데 발데이그레시아스 마을 카페로 들어갔다. 다시 나오니 곤란하게도 빗물이 아스팔트 위에서 강물처럼 흐르고 있었다. 앞에 있던 순례자들이 내 쪽을 향해 걸어오며, 전방에 진흙탕 길이 너무 심해 도저히 앞으로 갈 수 없어서 자동차 다니는 길로 가는 중이라고 말했다. 나도 그 뒤를 따랐다. 어차피 까미노 코스로 지나치는 모든 마을은 자동차로도 갈 수 있는 곳이다. 길은 잘 몰랐지만 마을을 관통하는 도로를 따라가면 까미노를 만날 것이라는 막연한 추측대로 걸었고, 그곳에도 이정표가 있었다. 아마 바이크 순례자를 위한 화살표 같았다.

비가 많이 와도 이 정도 길이면 충분히 걸을 만했다. 낮은 경사의 긴 언덕 꼭대기에 올라 이정표를 보니 내가 걸은 길은 바이크 까미노였고, 도로 반대편에 원래 가려고 했던 까미노가 따로 표시되어 있었다. 만약 그 길로 왔다면 신발과 바지가 흙 범벅이 되었을 거라는 건 불 보듯 뻔했다. 그 고개 정상에서 도로를 가로질러 가다 보니 멀리 하늘 끝에 먹구름이 걷히고 맑은 하늘이 보여서 희망을 갖고 있었는데, 나중엔 그 먹구름이 맑은 하늘마저 덮어 버렸다. 가끔 햇빛이 비치기도 했지만 잠시뿐. 비는 여전히 쏟아졌다. 언덕 위 평지를 한참을 걸어 산토 토르비오 돌 십자가가 있는 곳에 오르니 저 멀리 산 후스토 마을이 보였다.

언덕 위에서 며칠 전 만난 미국인 칼슨을 만나 반갑게 이야기할 수 있었다. 내가 레온 전에 이틀 걸리는 코스를 하루에 걸어서 자주 보던 순례자들이 모두 사라졌다고 했더니, 자신은 그것을 '리셋RESET'이라고 부르는데 현재 두 번 리셋했다며 웃었다.

어버이날이었기에 산 후스토 마을의 카페에 들어가서는 집으로 영상통화를 걸었다. 그리고 장모님과 통화하며 "어버이날에 외국에 나와 있어 죄송하다"고 덥수룩한 수염으로 인사드리니 모여 있는 가족들이 모두 내 모습이 낯설어 보인다며 웃었다. 모두들 내 여행이 잘 끝나기를 빌어 주었다.

비교적 큰 마을인 산 후스토를 지나 아스토르가로 가는 길은 편했다. 기차가 다니는 철로 길이 가로막혀 있어 지그재그형의 높은 육교를 넘어야 했다. 그 뒤로 이어지는 예쁜 야생화들이 참 보기 좋았다. 도시의 입구를 이렇게 잘 가꾸어 놓은 걸 보고 이곳도 관광도시임을 짐작할 수 있었다. 가우디의 작품이 있어 유명한 아스토르가에 도착해서, 앞서가는 순례자의 바지 아래를 보니 진흙 범벅이었다. 그는 내가 걸어온 바이크 도로로 오지 않고 산길을 이용한 것 같았다. 마을 언덕 입구에 있는 성당 앞에서 알베르게를 보았지만 그냥 지나쳤다. 어떤 이가 먹을 것을 사가지고 오면서 그 알베르게가 좋다고 말해주었다. 다시 발길을 돌려 찾아간 시에리아스 데 마리아 알베르게는 정말 좋았다. 우선 오스피탈레로들이 친절했고 빗길에 걸어온 순례자들을 위해서 여러모로 편의를 봐 주었다. 그곳 방명록에 누군가 영어로 '생장 이후 제일 좋은 알베르게' 라고 평해 놓았다.

짐을 풀고 나와 마을 한복판에 있는 가우디 작품 '주교관' 을 보며 점심을 먹었다. 이곳은 지금 가우디 박물관으로 사용한다는데 문이 닫혀 있었다. 이 마을에는 순례자보다 관광객들이 더 많이 보였다. 숙소에 사람들이 많아 저녁을 해 먹는 건 어려워보였다. 휴일이라 문을 닫은 마트 옆 선물 가게에서 간단한 먹을 것을 사와 대충 때울 수밖에 없었다.

주방 테이블에 앉아 하루의 여정을 메모하고 있는데, 내 옆으로 아주 뚱뚱한 체격의 남자가 다가왔다. 나는 기억나지 않는데 나를 길에서 본 적 있다며 내게 와인 한 잔을 권했다. 마침 내가 가지고 있던 건포도를 가져와 안주 삼아 대화를 나눌 수 있었다. 눈이 부리부리한 러시아인인 그는 몸집이 너무 크고 뚱뚱해서 하루 10km도 걷지 못한다며, 말을 할 때도 힘든지 식식거렸다. 영어로 말하기는 하는데 도무지 맞지 않는 영어를 했고 내가 대화에 끼어들 틈도 없이 쉬지 않고 말을 해나갔다. 뜻하지 않은 만남으로 맛있는 와인을 즐기고 침대로 돌아오니, 침대 밑에 보이는 내 배낭 커버와 똑같은 것이 하나 더 놓여 있었다. 위를 올려다보니 내 침상 위의 순례자도 나와 똑같은 브랜드와 같은 색상, 같은 사이즈의 침낭을 가지고 있었다.

Buen Camino

아스토르가 ➡ 폰세바돈

Day 21 Astorga

아스토르가는 본래 관광 도시이고, 풍광이 워낙 예뻐서 순례자들이 일부러 이곳에서 하루 더 묵고 가기도 한다. 그렇지만 나는 매일 걷다가 하루 쉬면 더 쉬고 싶어지고, 그러다가 걷기 본능이 사라질까 봐 그런 욕심을 버렸다. 다른 순례자 친구들이 레온쯤에서 하루 쉬었다 가라고 했지만, 나는 긴 휴식을 필요로 할 만큼 힘들지는 않았다. 차라리 이 페이스를 그대로 유지하는 것이 좋을 듯했다.

거리에서 평소보다 더 많은 순례자가 출발하는 것을 보고 이곳이 까미노 프랑스 길과 은의 길Via de la Plata이 만나는 지점임을 깨달았다. 은의 길은 스페인의 남부 도시 세비야에서 출발하여 북쪽으로 올라와 자모라를 거쳐 이곳 아스토르가에서 합류한다. 산티아고 데 콤포스텔라까지는 프랑스 길과 코스가 같은 약 1,000km의 까미노이다.

마을을 벗어날 때쯤 눈에 익은 단어가 적힌 팻말이 보였다. 주로 남성중창으로 불리는 '평화의 기도'라는 찬양이 있다. 이 곡의 가사를 지은 성인으로 유명한 아시시의 '성 프란시스코 신부'가 거주하는 건물이었다. 다른 사람들은 그냥 지나쳤지만 나는 혹시 이곳에 들어 가 볼 수 있을까 하고 문밖에서 한참을 기웃거렸다. 그러나 인적 없는 건물의 아무 문이나 열고 들어갈 수가 없어 건물을 보는 것으로 만족했다.

직선으로 걸어야 하는 들판을 걸을 때 갑자기 굵은 빗방울이 떨어졌다. 서둘러 우비를 쓰고 걸으려 하니 오스트리아에서 온 할머니가 나를 불러 세우고는 배낭이 젖지 않도록 우비를 제대로 덮어 주었다. 며칠 동안의 경험으로 봤을 때, 비가 많이 와서 걷기 힘든 숲길이나 진흙탕길이 있으면 아스팔트 위를 걷기로 했다. 그러고 보니 이 시간이면 늘 일출을 보고 걸었는데 언제 일출을 보았는지 기억이 나지 않았다. 까미노에 비가 많이 온다는 얘기는 들었지만 이 정도일 줄은 몰랐다.

끝이 안 보이던 메세타 대평원길은 엘 간소에서 끝이 났다. 길이 조금씩 올라가는 것이 보였고, 문득 길가의 집들에서 낯익은 모습을 발견했다. 밭이 있는 공간이나 집이 있는 곳의 담을 우리나라 제주도처럼 돌담으로 쌓아 놓은 것이었다. 특별히 돌이 많이 나오는 곳이 있는지 혹은 말을 키우고 있는지 확인은 안해봤지만, 제주도 올레길을 걸을 때와 느낌이 비슷했다. 그리고 이쪽 지방의 까미노 이정표에는 가리비 상징 외에 무지개 그림이 항상 같이 들어가 있었다. 무슨 뜻일까? 산티아고가 멀지 않으니 희망을 품으라는 뜻일까? 어떤 이정표는 돌을 어떻게 깎아냈는지 모르겠지만, 가리비 표면의 선 부분만 돌출되어 있어 마치 손가락을 펴서 벌려 놓은 것 같았다.

비가 오락가락했다. 조금 주춤하는가 싶을 때 벗어 놓은 우비를 다시 입고 있는데, 어느 나이 든 분이 자기는 '까미노 엄마'라며 내 우비를 정돈해주었다. 사람을 끌어당기는 친근한 매력이 느껴져서인지, 허술해 보여서인지는 모르겠지만 사람들이 내게 쉽게 다가온다는 걸 다시 느꼈다. 엘 간소마을에서는 조금 요란한 카페를 보았다. 이름하여 카우보이 바. 그 안에 들어가니 마치 서부 개척시대의 마을에 온 것처럼 물건들이 요란하게 진열되어 있었다. 내부에는 어젯밤 알베르게에서 생일축하 노래를 부르던 순례자들이 진을 치고 있었다. 아마 그런 실내 장식이 그들의 취향에 맞는 듯했다. 금방이라도 조끼를 입은 털보 사나이가 문을 박차고 들어오며 권총을 겨눌 것 같았다. 작고 허름한 마을로 보이는데도 마트가 있었고, 집마다 까미노 표시가 있었다. 까미노가 없었다면 이 마을은 존재하지도 않을 것 같았다.

길가 나무들의 수종이 바뀐 것 같았다. 지금껏 보아온 나무들은 대개 계획적으로 조림이 잘 된 나무들이었는데, 이후부터는 희고 두꺼운 이끼가 많이 끼어 있는 나무들의 군락이 이어졌다. 또 어느 곳은 큰 소나무들이 불규칙적으로 자라고 있었다. 길가에 개인 사유림인 듯 철망을 쳐 놓은 곳에 나헤라로 가는 길에서 보았던 수없이 많은 십자가가 철조망에 걸려 있었다. 라바날을 지나면서부터는 빗물이 흘러내리는 바위가 많은 계곡을 타고 올라가야 했다. 다행히 미끄러운 길이 아니라 불편함은 없었지만, 혹시라도 발이 삐끗할까 봐 무척 조심했다.

폰세바돈으로 가는 길은 점점 고도가 높아지면서 빗방울이 굵어졌다. 눈 아래 보이는 낮은 산에도 구름이 걸려 있을 정도였다. 땅바닥에 부딪히는 빗방울 소리가 들릴 정도로 굵은 비로 변한 소나기가 본격적으로 내리기 시작했다. 덮어쓴 우비에 팔뚝 부분이 없어서 스틱을 잡은 손을 밖으로 내놓지 못하니 손이 차가워졌다. 이정표를 따라 숲 속 길로 올라가는데 이어지는 오솔길에 물웅덩이가 많아 둔덕으로 우회해야 했고, 빗물을 머금고 있는 풀숲을 도저히 피할 수가 없었다. 거의 늪을 걸어가는 수준이었다. 춥고 힘든 건 물론이고, 때론 도무지 웅덩이를 피해 갈 방법이 없어 한참을 멈추어 서서 절망적인 표정으로 앞을 바라봤다. 멀리 전방에 보이는 길도 사정은 똑같아 보였다. 나를 추월해서 간 사람들이 어디까지 갔는지 모르겠지만, 이대로 가면 지쳐서 더는 못 갈 상황이었다. 그리고 그때 옆에 돌무더기 하나를 발견했다. 이곳에서 사망한 사람의 기념 표식이었다.

계속 걷기 힘들겠다는 판단이 들어 나무 사이를 헤집고 숲길을 벗어나 도로로 내려왔다. 내려와 보니 이미 다른 순례자들은 아스팔트 도로를 걷고 있었다. 비록 비는 많이 오고 있었지만 발 아래를 신경 쓰지 않고 걸으니 훨씬 나은 편이었다.

한참을 걸어 올라가 약 1,400m 높이의 폰세바돈에 도착하니 허름한 건물이 몇 개 보였다. 다른 시설은 없고 오로지 알베르게만 있었다.

첫 번째로 보이는 알베르게에 들어가니 주인이 내게 눈길조차 주지 않아 건너편에 있는 조그마한 알베르게로 옮겼다. 접수대 뒤에 불이 활활 타오르는 난로가 있는 걸 보고 무조건 이곳을 선택했다. 서둘러 접수를 마친 뒤에, 난로 옆으로 가서 몸을 녹이고 내일을 위해 등산화에 신문지를 구겨 넣어 말렸다.

폰세바돈은 고지대라 전망이 아주 좋을 것 같았는데 산 밑에 구름 안개가 끼어서 그다지 멋진 풍경을 못 본 것이 안타까웠다. 이곳에 단 하나밖에 없다는 레스토랑에 가기 위해 슬리퍼를 신고 문을 나섰다가 돌 밭길로 걷기 싫어져서 다시 알베르게로 돌아왔다. 보카디요 샌드위치와 콜라로 식사를 대신하고, 빨래거리를 들고 샤워장으로 갔다. 이곳은 이제껏 다녔던 모든 알베르게 보다 규모가 커서 좋았다. 대개의 알베르게 샤워장은 버튼을 누르면 물이 조금 나오다 꺼지고 또 버튼을 계속 눌러야 나오는데, 이곳은 밸브를 한 번 돌리면 물이 계속 나와서 얼마나 편한지 마치 집에 온 것 같았다. 오랜만에 긴 샤워의 즐거움을 누리고, 그 따뜻한 물로 빨래를 마치자 이제까지 고생하며 올라온 어려움이 모두 잊혀지는 듯 기분이 좋아졌다. 방으로 돌아오니 유모차를 끌고 다니는 헨리 엄마가 와 있었다. 며칠 못 본 사이 헨리의 얼굴에는 햇볕에 그을려 생긴 상처가 많았다. 헨리가 나를 보자마자 밝게 웃으며 손가락으로 나를 가리키기에 팔을 벌려 환영했다. 헨리는 잠시 엄마의 얼굴을 보더니 엄마가 고개를 끄덕이자 반갑게 뛰어와서 내 품에 안겼다.

이후 알베르게에 도착한 사람들도 얼마나 힘들게 올라왔는지 모두 기진맥진하여 초주검 상태였다. 식당 테이블에 앉아 일기를 쓰며 저녁 식사를 기다리는데 이탈리아인, 독일인, 미국인, 영국인 그리고 캐나다인 등이 합세했다. 메뉴는 다른 곳에 비해 정성이나 재료와 맛은 부족했지만 와인은 커다란 유리 물병으로 무제한 제공되었다. 저녁을 먹고 모두 독일 청년의 기타 반주로 노래를 시작했다. 옆에 앉은 외국인들이 스마트폰으로 자신들이 좋아하는 미국과 영국의 팝송들을 찾아 부르면서 여흥의 시간이 길어졌고, 와인을 자꾸 더 청하니 주인이 눈치를 주었다. 내가 각 나라의 민요까지 모두 따라 했더니 자리에서 일어날 때 내게 주크박스라는 별명을 붙여주고는 모두 각자의 침대로 들어갔다.

그날 모두 거센 비를 맞으며 높은 산에 올라가느라 고생을 했지만, 밤에는 함께 노래를 부르며 행복을 느꼈다.

Buen Camino

폰세바돈 → 폰페라다

Day 22 Foncebadon

어른들도 힘들어하는 까미노인데, 3살 아이는 얼마나 힘들까? 비록 유모차를 타고 다녀서 많이 걷지는 않더라도, 그날 밤은 헨리가 정말 힘든 듯 밤새 아픈 소리를 내며 칭얼거렸다. 엄마는 어떻게든 같은 방에서 잠자는 사람들에게 피해를 주지 않으려고 아이를 달랬고, 그런 엄마와 울음을 참는 헨리의 모습이 참 안쓰러워 보였다. 아침에 헨리 엄마가 다른 사람들에게 미안하다고 말하자 모두 괜찮다며 마음 쓰지 말라고 해주었다. 모자가 어떤 이유로 이런

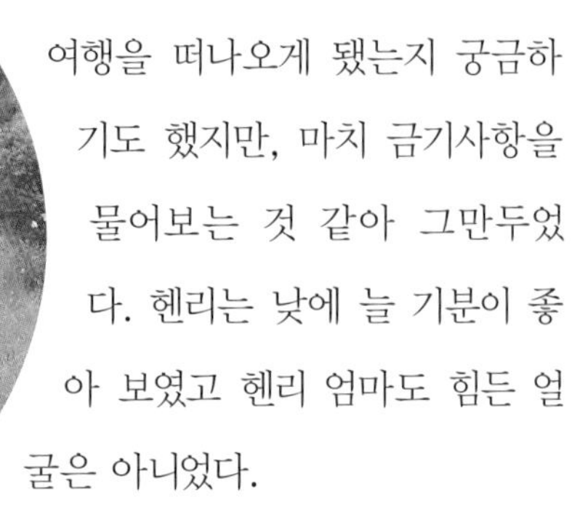

여행을 떠나오게 됐는지 궁금하기도 했지만, 마치 금기사항을 물어보는 것 같아 그만두었다. 헨리는 낮에 늘 기분이 좋아 보였고 헨리 엄마도 힘든 얼굴은 아니었다.

아침에 살짝 밖을 보니 안개가 너무 짙어 출발 시각을 늦추었다. 안개가 없다면 이 높은 곳에서 바라보는 일출은 그야말로 장관이었을 텐데, 아무래도 이번 까미노의 일출은 피레네 산맥을 오를 때의 아름다운 풍경으로 만족해야 하나 싶었다.

문을 나서니 몇 걸음 가지 않아 또 빗방울이 떨어졌다. 비가 와 전방 시야가 나빠져서 불편했지만, 그래도 길이 넓어서 물웅덩이가 있어도 걷지 못할 형편은 아니었다. 산을 오를수록 전방 10m 앞도 안 보일 정도로 안개가 짙어지고 빗방울이 거세어졌지만 묵묵히 걸었다. 같은 방에 묵었던 건강해 보이는 미국인이 어제 폰세바돈 올라 올 때도 빠른 걸음으로 나를 앞질러 가더니 오늘도 역시 앞질러 갔다. 그 뒤로는 거의 한 시간 동안 아무도 보이지 않았다. 나는 그냥 한 치 앞만 보고 걸어갈 뿐이었다.

철 십자가가 있는 크루즈 데 페로는 멀지 않았다. 하지만 도착해보니 까미노의 상징적인 대형 구조물은 안개에 가려져 그 위용을 잃어버린 채였다. 수없이 많은 사연을 볼 기회였는데, 철 십자가 기둥까지 올라가는 것도 미끄러워 보이기에 멀리서 안갯속의 희미한 사진만 찍고 말았다. 철 십자가 정상이 을씨년스러워 오래 머무르지 않고 바로 언덕 아래로 내려왔다. 주변에 폐허가 된 건물들이 즐비했다. 그러나 이곳 어디엔가 사람이 사는 듯 승용차 한 대가 주차되어 있었다. 마치 폭격을 당한 듯한 건물을 지나니 정리되어 있지 않은 엉성한 카페가 보였다. 이곳이 만하린이다. 나무로 얼기설기 만들어 놓은 카페 안에 들어갔더니 장사는 하는 듯했지만 취사도구가 모두 깨끗하지 못한 헝겊으로 덮여 있었다. 이런 곳에서 식사가 가능한지 궁금했다. 카페 입구에는 이곳을 기점으로 주요 도시까지의 거리가 페인트로 엉성하게 쓰여 있었다.

산티아고 222km, 예루살렘 5,000km, 뮌헨 2,470km, 로마 2,475km 등 수치로나마 어느 정도 거리인지 가늠만 가능할 뿐이었다. 인적은 없는데 카페 옆 언덕에 개 한 마리가 묶여 있는 것으로

보아 이 근처에 알베르게는 아니지만 잘 수 있는 집이 있는 것 같았다.

만하린 카페 주변에 있는 건물들은 모두 지붕이 없고 벽체도 일부분만 남아 귀신이 나올 것 같은 분위기였다. 어느 정도의 세월이 흐르면 이렇게 될까? 그곳을 내려오니 안개가 서서히 걷히고 눈앞에 초원이 조금씩 보이기 시작했다. 구릉지 계곡 밑 넓은 풀밭에 있는 말들은 한가하게 아침 식사를 즐기고, 멀리 산에는 안개가 조금씩 걷히며 사라지고 있었다. 폰세바돈이 있는 방향과 산 너머 반대편의 날씨가 완전히 다른 것 같았다. 그렇게 안 좋았던 날씨가 산을 넘어오니 맑게 개었고, 전방에 있는 산 정상에 풍력발전용 바람개비가 촘촘히 서 있는 것이 뚜렷이 보였다.

나무에 붙어있던 하얀 이끼들이 눈송이처럼 떨어져 있는 도로를 따라 걷는데, 경찰차가 올라오면서 나에게 손짓하며 왼쪽으로 걸으라 했다. 트레킹 시 따로 정해진 보행로가 없어 차도 옆을 걸을 때는 반드시 차가 오는 방향으로 걸어야 차도 사람도 조심할 수 있다. 그 쾌적하고 가파른 언덕길의 도로 아래, 누워서 타는 자전거 '리컴번트바이크'를 탄 두 명의 남녀가 힘차게 페달을 밟으며 경사길을 올라가고 있기에 크게 파이팅을 외쳤더니 그들이 손을 뒤로 뻗어 흔들었다.

언덕에서 내려가며 보는 전망이 환상이었다. 그토록 오랜 시간 동안 내 위에서 비를 뿌렸던 구름은 산 위 저편으로 물러갔고, 눈앞에 보이는 길이 마치 천국으로 들어가는 길처럼 훤해 보였다. 화살표가 차도를 벗어나 편안한 흙길로 가라 하기에 기분 좋은 발걸음으로 한참을 내려갔다. 엘 아세보 마을에 들러 오렌지 주스 한 잔으로 아침 산행의 어려움과 긴 경사 길을 내려오는 피곤함을 달래고 있는데, 불과 몇 분 지나지 않아 카페가 순례자들로 가득 찼다. 이제 산을 완전히 넘어와서 비가 더 이상 오지 않을 것 같았다. 나는 인적 없는 집의 계단에 배낭을 내려놓고 옷을 가볍게 갈아입었다.

마을 끝부분에는 아래로 향하는 좁은 계곡 길이 있었다. 저 앞에 어제 내 옆에서 잠을 잤던 헨리가 엄마와 길을 조심조심 내려가고 있는 게 보였다. 나보다 늦게 출발했는데 벌써 여기까지 온 것에 대한 놀라움과, 왜 유모차가 다니기 힘든 이 길로 내려왔나 하는 궁금증이 들었다. 평탄한 길이 몰리나세카까지 이어질 줄 알고 내려온 것이 틀림없었다. 나는 모자에게 다가갔다. 계곡의 중간중간 물이 흘러 바위 징검다리가 있는 곳에서 내가 헨리를 안고 건넜고 엄마는 유모차만 몰고 갔다. 어느 때부터인가 헨리가 내가 안고 건너

뛰는 것을 좋아하기에 가능한 한 도와주었지만 큰 바위투성이 지역이라 빈 유모차라도 끌고 가기 힘든 곳이 있었다. 헨리 엄마는 그럴 경우를 대비해서 유모차에 끈을 달아 허리에 묶어 놓았다. 그럼에도 불구하고 땀을 뻘뻘 흘리며 매우 고생하고 있어 때론 유모차를 내가 앞에서 들어 올려 지나가기도 했다.

한참동안 계곡 길을 힘들게 내려오니 자전거 도로가 보였고, 헨리 일행은 그쪽으로 내려갔다. 혼자 산길을 걸어 내려가다가 '어떻게 헨리가 나보다 여기까지 빨리 올 수 있었지?' 하는 의문이 들었다. 그리고 그녀가 유모차를 끌고 평지를 걷는 걸 다시 본 순간, 속도가 무척 빠른 것을 보고 이해가 되었다. 그다음 계곡과 도로가 교차하는 곳에서 만나 헨리 엄마에게 넌지시 "혹시 직업이 스포츠 선수냐"고 물었더니 "맞다"라며 고개를 끄덕였다. 아이를 데리고 다니더라도, 체력에 자신이 있으니까 데리고 온 것 같았다. 그리고 열악한 조건에도 얼마나 열심히 걸었는지 정상인의 속도와 비슷하게 걸어올 수 있었을 것이다. 메세타 평원을 걸을 때는 최고 속도를 내고 걸었겠지만, 폰세바돈에 올 때는 유모차를 밀고 언덕을 오르느라 정말 힘들었을 것이다.

마을로 들어가는 다리를 건너기 전에 나와 헨리가 같이 있는 사진을 찍고 싶다기에 포즈를 취해 주었다. 그 사진을 받고 싶어 연락처를 적어 줄까 했지만 그만두었다. 점심을 먹기 위해 식당 메뉴를 찾는 나를 보더니, 헨리 엄마는 자신은 먼저 가겠다며 인사를 하고 훌쩍 떠나 버렸다.

길가의 레스토랑에서 먹은 햄버거는 정말 맛있었다. 나는 딱딱한 스페인 보카디요 보다 부드러운 햄버거를 더 좋아했다. 깨끗한 마을 몰리나세카 길가의 알베르게도 외관상으로는 훌륭해 보였고 정원의 시설도 좋았다. 그 도시 끝 도로가 갈라지는 곳에 특이한 기념비가 있었는데 비문을 읽어 보니 2009년 일본과 스페인이 까미노 우호 기념을 맺은 내용이었다.

폰페라다에 가기 전에 있는 작은 캄포마을은 아무도 없는 유령도시 같았다. 길을 걷는 것은 순례자들뿐이고 인적 없는 집들 사이 골목에는 이끼가 가득 끼어 있었다. 평탄한 벌판 옆의 목장에서는 양 떼들이 평화스럽게 풀을 뜯고 있었고, 저 멀리 구름이 가까이 있는 산에는 흰 눈이 그대로 남아 있었다. 이 멋진 장면을 스마트폰의 액정 화면으로 보니 외국 풍경이 담긴 엽서 한 장 같았다. 발걸음을 옮겨 이름이 유난히 고급스럽게 표기된 알베르게를 찾아갔는데, 접수창구에서 까만 정장을 입은 여성이 "2인용 실에 들어가면 12유로다"라고 말했다. 15,000원 정도 밖에 안 되는 돈이었지만 나는 사설보다는 공립 알베르게를 선호하기에 다른 곳으로 갔다.

행인에게 길을 물어 종교단체에서 운영하는 알베르게에 들어갔더니, 그곳에 헨리가 미리 와 있었다. 그뿐만 아니라 눈에 익은 사람들이 많았다. 빨래를 하고 로비에 나와 있는데 전혀 못 볼 줄 알았던 팔레리나 일행이 불쑥 들어왔다. 우리는 마치 떨어져 있던 형제를 만난 것처럼 무척 반가워했다. 그중 영영 헤어진 것 같아 섭섭했던 사람도 다시 만났고, 내 소식을 듣고 일부러 빨리 걸어 왔다는 사람도 있었다.

인근 마트에서 저녁 먹거리로 소시지와 방울토마토를 사 왔는데, 헨리 엄마가 내 식사도 함께 준비하고 있으니 같이 먹자고 하며 오늘의 고마움을 표현했다. 아울러 계란도 몇 개 쪄서 내 것도 챙기며 내일 가다가 먹으라고 싸 주었다. 헨리는 넓은 주방에서 순례자들 모두에게 사랑받는 아이였다. 그 뒤로 헨리 모자는 다시 보지 못했다. 오랜 세월이 지나, 헨리 엄마가 아들이 까미노에서 사람들에게 사랑받았던 이야기를 해줄거라는 생각이 들었다.

이 알베르게는 기부제로 운영 중이었다. 5유로를 주고 접수를 마친 뒤 기부함에 넣으려 했더니 오스피탈레로가 나중에 마음으로 넣으라며 제지하기에 식사 후 슬그머니 넣었다. 그 이후 눈여겨봐도 기부금을 집어넣는 사람은 별로 없었다. 와이파이도 비밀번호를 자동 생성해주는 기계에서 용지를 뽑아 쓰는 방식이었다.

비록 오늘 새벽에 떠날 때는 안개 낀 산을 오르느라 힘들었지만 험한 산을 넘어오니 종일 흐뭇하고 좋은 일만 생겼던 하루였다.

Buen Camino

폰페라다 ➡ 비야프랑카 델 비에르조

Day 23 Ponferrada

이른 시간에 눈이 떠졌다. 떠날 준비를 금방 마쳤지만, 6시 반 이전에는 문을 나설 수 없다는 것이 알베르게의 규칙이었다. 문 앞에 앉아 기다리는데 한 명의 한국인이 내게 말을 걸었다. 어제 저녁에 본 기억이 있었다. 영어를 미국 발음으로 유창하게 하고, 스페인어까지 구사하는 사람이었다. 그는 미국 콜로라도에 사는 재미교포고 나이가 74살이라 했다. 이곳에 오기 위해 미국에서 스페인어를 배웠단다.

그는 까미노를 무려 18번을 걸었다는 스페인 사람을 우연히 만나 동행하고 있었다.

'18번이나? 그 사실을 믿어야 하나?'

풀코스를 걸었는지는 물어보지 않았지만 스페인 사람은 길을 걷는 것에 거침이 없었다. 나는 한국인과 걸으며 이야기를 했고, 그러다 보니 지나가면서 마주치는 동상이나 성당에 대해 신경을 쓸 틈이 없었다. 특히 폰페라다는 템플기사단의 전설적인 이야기가 있는 곳이라 꼭 확인하겠다고 생각했었는데, 빨리 걷다 보니 어둠 속 동상이 서 있는 것만을 확인하고 그냥 지나쳤다. 누군가를 맹목적으로 따라가다 보면 방향 감각을 잃어버리게 된다. 결국, 나는 그 두 사람과 따로 걷게 되었다.

마을 골목을 벗어나 놀이터와 공장지대를 지나 낮은 언덕을 올랐다. 멀리 하늘을 보니 이제 비가 오지 않을 것인지 하늘이 훤했다. 이곳은 큰 도시라 30분을 걸어도 마을을 벗어나지 못했다. 기타와 배낭을 멘 어떤 순례자가 길에서 쉬고 있었다. 배낭과 기타를 메고 이 먼 길을 가는 사람은 얼마나 음악을 좋아하기에 그렇게 어려운 결정을 했을까? 나도 그렇지만 음악 없이는 살 수 없는 사람들이 많다.

길가의 포도나무가 리오하 지방에서 보던 포도나무에 비해 잎이 조금 더 자라 있었다. 폰페라다의 까미노 표시는 다른 지방의 이정표에 새긴 가리비에 비해 디자인 감각이 더 뛰어나 보였고, 노란 화살표는 지팡이를 잡은 손가락으로 대신하고 있었다. 까미노를 걷다 보니 지방마다 가리비의 모양이 조금씩 다른 것도 발견했다.

사진을 찍으며 걷느라 걸음이 느려졌는데, 아침을 먹으러 콜럼브리아노스 마을에 갔다가 한국인, 스페인인 두 사람을 다시 만났다. 스페인 남자는 기업을 운영하며 시간 날 때마다 까미노에 오고 있고, 한국 남자는 한국에 살 때부터 암벽등반을 좋아해서 국내의 많은 산을 다녔다고 했다. 그러다가 미국으로 이민한 뒤 운동을 하다 다리를 다쳐서 산행을 포기했고, 주로 자동차 여행을 즐기다 까미노를 걷고 싶어서 오게 되었다고 말했다. 그 한국인은 한국을 떠나온 지 몇십 년이 지난 데다 한국교포들과도 교류가 별로 없었는지 내게서 한국 이야기를 듣고 싶어 했다. 제주도에 올레길이 있는지도 모르는 사람이고 국내 아이돌 가수들의 노래가 세계의 젊은이들에게 얼마나 열광적으로 사랑을 받는지도 모르는 사람이었다. 내가 그에게 들려주는 이야기는 끝이 없었다. 정치와 경제. 문화

그리고 생활, 젊은이들의 인식 등등.

나와 둘이서만 이야기하다 보니 스페인 사람은 한참 거리를 두고 먼저 가고 있었고 우리는 그 사람 뒤만 따라갔다. 이야기에 팔려 길거리에 특이한 것들만 대충 사진을 찍으며 걷다가 캄포나라야의 삼거리에서 문득, 이 길은 까미노가 아닌데 하는 느낌을 받았다. 스페인 사람이 다른 길로 가고 있는 것 같았지만 18번이나 걸은 사람이기에 '알아서 잘 가겠지' 하는 생각이었다. 게다가 우리 뒤에도 다른 순례자가 한 명이 따라 오고 있어서 안심했었다.

그런데 한참을 걷다가 스페인 사람이 정차된 차의 기사에게 길을 묻는 걸 보고, 순간 무엇인가 잘못되었다는 것을 느꼈다. 그러나 한국인은 "길에 관해서는 저 스페인 사람을 전적으로 신뢰해도 되니까 걱정하지 말라" 했다. 그는 내일 35km의 길고 험한 코스를 가야 하기에 오늘 많이 걸어야 내일 적게 걷는다고 했다. 그건 나도 알고 있었다. 그렇지만 많이 걷는 것과 돌아가는 것은 다른 의미다.

결국 우리가 가는 길 위에 다른 순례자는 보이지 않았다. 잠시 나는 혼돈에 빠졌다. 한참 길을 가다가 마을 골목의 사거리 담벼락에 까미노 화살표가 그려져 있는 것을 보고 스페인 사람이 의기양양하게 손짓하며 자기 말이 맞다는 듯 미소 지었다. 우리가 가는 길은 끝없는 아스팔트 길이었다. 나는 이 길은 분명 까미노 길이 아닐 것이고, 까미노 코스라면 순례자들에게 이런 아스팔트 길을 이

토록 오래 걷도록 하지 않을 것이라고 생각했다. 아주 가끔 갈림길에서 화살표는 보였다. 며칠 전 비 오던 날 아스토르가에 갈 때를 생각해 보니, 까미노는 어디에서든 길을 잘못 들더라도 다시 코스로 갈 수 있도록 표시를 해 놓는다는 사실이 떠올랐다. 혹은 바이크 순례자들이 갈 수 있는 다른 길이 있음을 알았기에 이 화살표도 그런 부류일 것이라고 생각했다. 그 두 사람은 거의 2시간 넘게 걸어도 쉬지 않았다. 결국 나는 고속도로 위의 다리를 넘어 한참을 가다가 앉을 자리가 있는 길가 마을 입구에서 조금 쉬겠다고 하고 그들을 먼저 가게 했다. 키가 큰 사람의 보폭을 따라가느라 많이 힘들었기에 한참을 쉬고는 그 뒤로 혼자 천천히 길을 걸었다.

마을의 명칭을 보니 카레세도 델 모나스테리오라는 이름이었다. 까미노 어플에는 나와 있지도 않은 이름의 마을을 지나는데 문득 앞에 개 한 마리가 길 한가운데 딱 버티고 앉아 있었다. 마치 자기 집 문 앞을 지키는 것처럼 내가 오는 것을 보고만 있는 것이었다. 내가 집 쪽으로 가지 않고 오른편으로 걸어가니, 앉아 있던 개가 으르렁 거리며 일어섰다. 머리칼이 쭈뼛하고 등골이 서늘해졌다. 손바닥을 앞으로 하며 너를 해칠 의사가 없다는 무언의 표시를 했다. 그제야 개는 옆으로 슬금슬금 비켜났다. 나도 천천히 오른쪽으로 걸어갔다. 그리고는 뒤도 돌아보지 않고 천천히 내 길을 갔다. 정말 아찔한 순간이었다. 까미노를 걸으면서 개가 내 앞에서 이빨을 드

러내며 으르렁거리는 것은 처음 당해 보는 일이었다. 스페인에서는 개를 줄에 묶어 데리고 다니는 사람이 많지 않다. 도심에서도 그렇고 어느 곳에서나 보이는 고급스러운 품종의 개는 늘 조용했었다.

낮은 언덕을 올라가 왼편의 포도밭 너머를 보니 카카벨로스가 틀림없다고 생각되는 마을의 집들이 보였다. 그리고 더욱 반가운 것은 멀리 11시 방향에 다른 순례자들이 줄을 이어 걷고 있는 모습이었다. 이제야 제 코스로 가나보다 싶었다. 도대체 몇 시간을 더 걸은 것인가? 어플 상으로 보니 캄포 나라야에서 카카벨로스까지 거리가 6.1km였다. 그렇다면 한 시간 반 코스인데 나는 무려 3시간이나 걸려서 도착했으니 거의 12km를 걸은 셈이었다. 다른 순례자들을 발견하고 이렇게 반가운 마음이 들 줄은 몰랐다.

카카벨로스 마을은 제법 도시다웠다. 크지는 않았지만 호텔도 있고 길가에 레스토랑도 많았다. 강가에 있는 레스토랑에 들어가 주문하려다 햄버거가 없다는 말에 포기하고 나왔다. 그 후 마을 중앙로를 걷다가 갑자기 눈에 확 띄는 간판을 하나 발견했다. 한글이었다.

'라면 있어요. 김치도!'

나는 앞뒤 따지지 않고 무조건 들어갔다. 그 안에는 더 매혹적인 글이 있었다.

'라면+밥+김치 5.5유로'

그것도 컵라면이 아닌 끓여 주는 라면이니 더할 나위 없이 좋았다. 삶은 계란을 얇게 썰어 넣은 김이 모락모락 피어오르는 뜨거운 라면이 큰 유리 그릇에 담겨 있었고, 한국산 김치는 아닌 듯한 야채 무침과 조그만 그릇에 담긴 따뜻한 밥도 함께 나왔다.

'이런 곳에서 라면을 먹게 해 주시는 하나님, 감사합니다.'

맛을 보니 한국 라면이 아닌 듯해서 가게 사람에게 어느 나라 라면인지 물었는데, 확실치는 않지만 중국이나 브라질 같다고 중얼거렸다.

깨끗한 카카벨로스 마을의 주민들은 거리에 나와 담소를 나누며 오후 햇볕의 따스함을 즐기고 있었다. 마을에 아주 커다란 돛대 같은 것이 전시되어 있었다. 나무에 커다란 흠집이 많은 것을 보니 긴 역사가 있는 듯했다. 그 이후 비야프랑카까지는 거의 시멘트 도로였다. 그러나 시멘트 도로 이후 밭길은 그야말로 환상이었다. 길을 걷다가 사방을 둘러보면 눈이 닿는 곳은 모두 포도밭이었다.

만약 가을에 왔다면 하늘을 나는 것 같은 기분을 느끼지 않았을까 싶었다. 배낭 안의 젖은 빨래를 이 따스한 햇볕과 살살 부는 봄바람에 말리고 싶어 옷핀으로 고정해 매달았다. 며칠간 비가 계속돼서 옷들이 눅눅해진 느낌이 들었다. 내가 그렇게 앉아서 잠시 쉬는 동안 뒤를 따라온 안면 있는 외국인들이 나보고 천천히 걸으라며 웃었다.

비야프랑카에 있는 마을 초반에는 새로 지은 집들이 많았는데, 다리를 건너 가니 거의 폐허 수준의 집이 보였다. 이곳에 살던 사람들이 집을 새로 지어 다리 건너로 이사한 듯, 버려진 집들의 돌계단 틈 사이에는 저절로 자란 풀들이 가득했고 문은 건드리면 부서질 듯이 낡아 있었다. 비야프랑카까지 가기 전의 시골길은 참 좋았다.

오후 2시경, 마을 입구 쪽 전망이 좋은 공립 알베르게에 여장을 풀었다. 이 마을은 관광도시인지 멀리 보이는 커다란 건물에 카지노라는 단어가 보였다. 그리고 마을에 커다란 크레인을 동원해 새로 짓는 건물도 간간이 보였다. 너도나도 일광욕을 즐기고 있는 앞마당에서는 작은 도마뱀들이 꼬리를 치며 지나가고 벽을 타고 있었다. 이 알베르게는 한국 순례자를 배려한 듯 각 편의시설마다 한국말을 같이 적어 놓았다. 욕실, 라운지, 식당 등등. 저녁거리를 사기 위해 시내를 나갔다가 약국이 있어 무좀약을 하나 사고 예쁘게 가꾸어 놓은 마을 정원을 산책하며 한가로운 시간을 보냈다. 길가에 약국은 물론이고, 선물 가게, 이발소, 미장원, 바이크 수리점 등이 눈에 보였다. 가게에 사우디 근무 시에 많이 보던 물담배가 있는 것으로 보아 이곳에 아랍 사람들이 사는 것을 알 수 있었다. 마트에서 전자레인지에 데워먹는 매콤한 파스타를 하나 사서 숙소로 돌아오니 처음 보는 한국인 부부와 딸이 인사를 건넸다.

아빠는 카톨릭 신자고 엄마와 딸은 무교라 했다. 그들이 만들어 놓은 샐러드를 같이 먹었다. 그 가족은 산티아고까지 같이 걷고 나서 렌터카로 스페인 여기저기를 여행할 계획을 가지고 있었다. 길을 걸으며 의견이 잘 맞느냐고 물어보니 의견이 3가지라 늘 옥신각신한다며 웃었다. 가족들도 이렇게 여러 가지 상황에서 뜻이 다른데, 친구 사이나 그저 아는 사람이라면 어떻게 긴 날들을 화합하며 다닐 수 있는지 갑자기 의문이 들었다. 오후 늦게 사람들이 많이 들어왔는지 복도에 있는 이층 침대까지 청년들로 가득 찼다. 오늘도 힘들었지만 행복한 하루였다.

Buen Camino

비야프랑카 델 비에르조 → 라 라구나

Day 24 Villafranca del Bierzo

까미노를 많이 다녀 본 사람이 내게 해준 말이 있다.

“혹시 누가 까미노를 같이 걷자고 하면, 우선 처음 하루 이틀은 같이 다니더라도 며칠이 지나 의견 충돌의 조짐이 보이거든 과감히 따로 걸어라.”

이 말은 까미노를 마친 지금도 공감하고 있다. 이번 까미노에 오기 전에 몇 명으로부터 같이 가자는 프러포즈를 받았으나, 나는 처음부터 혼자 걸을 생각이었기에 의향을 보내 온 모두에게 거절하며 양해를 구했었다. 길 위에서 만난 사람은 여럿이지만, 나는 그렇게 내 결심을 지키면서 여전히 혼자 여행을 하고 있다.

이날도 비가 왔다. 다리를 건너가는데 강물이 큰 소리를 내며 흐르고, 강가 언덕에는 고급 연립 주택들이 줄을 지어 있었다. 마을을 빠져나오니 왼쪽에는 주택과 도로 사이에는 깊은 하천 그리고 앞에는 국도와 높은 고가 위에 고속도로가 있었다.

국도와 까미노 길이 허리 정도 높이의 콘크리트 벽으로 분리가 되어 있어 안전에는 문제가 없었다. 하지만 높은 곳에 위치한 고속도로에서 차가 빠른 속도로 지나가며 마치 천둥 같은 소리를 내서 위협적인 느낌이었다. 문득 앞서가는 여자 순례자가 우비 아래로 나올 정도의 긴치마를 입고 있어 수녀님이라고 생각했다. 길을 가면서 인사만 건네니 그녀도 미소만 지으며 고개를 끄덕이기에 얼른 그 옆을 지나쳤다. 그녀는 아주 천천히 걸었다.

어느 곳은 발이 빠질 정도로 빗물이 많이 고여서 옆에 숲을 가로막은 철망을 잡고 넘어야만 걸을 수 있었다. 만약 상황이 계속 이렇다면 오늘 높은 산에 있는 오 세브레이로는 내일로 미루어야 할 것 같았다. 베가 데 발카르세 마을을 지났다. 루이테라는 평화로운 마을 위로는 두 개의 고속도로가 있었다. 이 코스는 마을이 1~2 km 간격으로 자주 있어 한 코스에 마을이 무려 10개나 있다. 마을은 늘 국도의 오른편에 있고 까미노는 왼편을 걸어야 하기에 마을로 가기 위해서는 늘 국도를 횡단해야 했다. 마을로 들어갈 필요가 없으면 그냥 계속 직진하는 편이 나을 정도였다. 비가 많이 오니 쉴 곳은 남의 집 추녀 밑이나 고가 도로 아래뿐이었다.

그다지 특이할 것 없는 마을을 몇 개 지나 라스 에레리아스 마을 입구에서 점심을 먹기 위해 주변을 둘러보았다. 일본인 아가씨가 어느 식당에서 나오기에 음식이 맛있냐고 물었더니 고개를 끄덕였다. 다른 날처럼 메뉴판을 보지도 않고 햄버거를 시켰는데

사이즈가 무척 커서 반은 먹고 반은 포장했다. 식사 후 종업원에게 계산서를 달라 했더니 청구액이 무려 14유로였다. 내가 이제껏 매일 햄버거를 먹었지만 이렇게 비싼 햄버거는 없다고 투덜거렸더니, 내가 미리 가격을 묻지 않기에 자신들의 메뉴대로 준 것뿐이라고 말했다. 가격을 미리 확인하지 못한 건 실수지만, 여기 햄버거가 너무 커서 반은 남겨서 저녁 식사로 대신할 수 있었으니 바가지는 아니었다. 그러다 식당 문으로 들어오는 팔레리아 일행을 만났다. 우리는 서로 반갑다며 다시 얼싸안았다. 그들이 오늘 목적지인 오 세브레이로가 시설이 안 좋아 바로 전 마을에서 쉴 예정이라 하기에 나도 그렇게 하겠다고 했다.

오 세브레이로는 거의 1,400m 고지에 있는 마을이다. 아마 이 높이가 까미노 후반에서 가장 높은 산일 것이다. 여기까지 오는 길이 그다지 힘들지는 않았기에 올라가기로 마음먹고 본격적인 오르막길에 올랐다. 긴장되었다. 비구름에 가려 아득하게 보이는 산까지 내가 올라갈 수 있을까? 몇 번이나 쉬어야 할까? 얼마나 힘이 들까?

초입에서 길이 두 갈래로 갈라졌다. 왼쪽은 숲길, 오른쪽은 바이크 순례자 및 차도. 나는 오른쪽 길을 선택했다. 아무래도 숲길은 빗물이 산에서 흘러내려 지난번 폰세바돈 올라 갈 때처럼 걷기 어려울 정도의 상태일 것 같았다. 스틱을 꺼내 들고 고개를 숙이고 아주 천천히 발길을 옮겼다. 아무리 봐도 차도를 걷는 것이 현명한 선택인 것 같았다. 힘들지만 길의 상태에 신경을 쓰지 않으니 오로지 걷기에만 집중할 수 있었다. 그렇게 천천히 걷는데도 앞서가는 외국인 커플을 추월했다. 산티아고 까미노는 아무리 산이 높아도 한국의 산처럼 험한 바윗길을 올라가지는 않는다. 모든 길은 어떤 장애인이 걸어도 남의 도움 없이 충분히 올라갈 수 있을 만큼 잘 되어 있다.

큰 계곡 건너편 위에 있는 마을은 어떤 곳이기에 저렇게 좋을까? 굽이쳐 흰 띠를 두른 도로의 끝 까마득한 정상에 마을이 하나 보였다. 저곳이 오 세브레이로인가 아니면 라구나인가? 그런데 이상하게 이곳으로 올라오는 바이크 순례자들이 하나도 보이지 않았다. 그렇게 자주 보이던 그들이 다 어디로 갔나? 그러고 보니 오늘 아침부터 이제까지 바이크 순례자를 보지 못한 것 같았다. 산이 높으니 우회하는 다른 길이 있나?

급한 경사는 아니지만 워낙 긴 길이다 보니 서서 쉬기를 몇 번, 드디어 1,200m 고지에 있는 라구나에 도착했다. 온몸에 흐르는 것이 빗물인지 땀인지 모를 지경이었다. 이곳은 알베르게가 하나뿐이며 레스토랑을 같이 겸해서 운영하고 있었다. 8명이 잘 수 있는 방을 배정받고 방문을 여는데 이미 여장을 푼 다른 순례자들의 비 냄새와 땀 냄새가 확 끼쳐왔다. 적어도 까미노에서는 이 냄새가 순례자들의 향기였다. 외국인들의 짐을 보니 모두 다음 코스로 짐을 보내는 순례자들 같았다. 이 사람들은 편하게 올라왔구나 싶었다. 다른 날보다 택시와 택배 차를 더 자주 볼 수 있었는데, 산에 오르기 힘든 사람들이 많이 이용한 것 같았다.

세탁기와 건조기를 이용하는 요금이 다른 곳보다 배나 비싸고, 레스토랑도 하나뿐이니, 테이블도 몇 개밖에 없는 홀에서 여러 사람이 같이 앉아야 했다. 종업원들은 얼굴에 미소도 없이 갈 테면 가라는 고자세였다.

오늘 길도 역시 단순했다. 도로를 따라 걷고, 산 위를 오른 것뿐. 세상 사는 일이 그런 것 같다. 모든 날이 무지갯빛이 아니듯 이렇게 단순한 삶을 사는 날도 있다. 온종일 머리 위로 떨어지는 빗방울의 리듬은 그 어떤 음악보다 좋았다.

Buen Camino

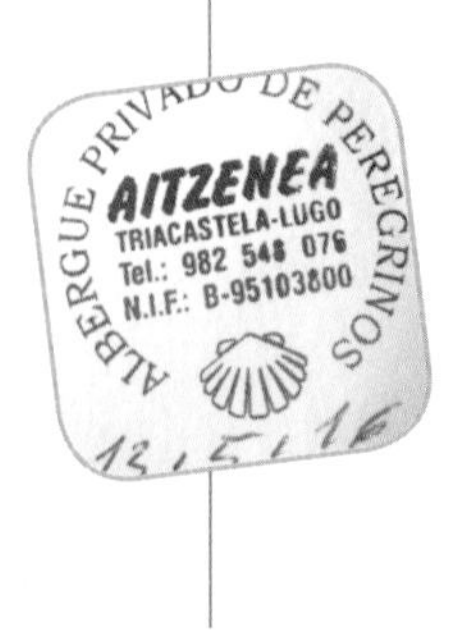

라 라구나 → 트리아카스텔라

Day 25 La Laguna

잠이라는 것은 참 좋은 것이다. 잠을 자고, 휴식을 취하면 신체 리듬이 리셋 된다고나 할까? 그렇게 힘들었는데도 자고 일어나면 아침의 몸 상태는 가뿐해졌다. 25일째가 되어 내 몸은 완전히 '걷는 기계'가 되어 버렸다. 수면 시간은 충전하는 시간이고, 아침만 되면 스마트폰 배터리처럼 항상 완충되었다. 또한 마음과 영혼은 새로운 길에 대한 기대로 인해 온갖 기쁨이 차고 넘쳐흘렀다. 이 힘든 일을 내 육체가 견뎌내고 있다는 뿌듯함과 고통 속에서도 참으며 걷고 있는 이들의 숭고함을 보면서 까미노의 위대함을 새삼 느꼈다. 또한 순례자들의 관계를 통해 처음 만나는 사람과 사람의 관계가 이렇게 아름다울 수도 있다는 신비함을 느끼는 동시에 하나님이 창조하신 자연의 아름다움을 보며 찬양했다.

예수님의 제자 야고보가 이 힘든 길을 걸으며 수없이 많은 사람에게 예수님의 복음을 전하고 순교했기에 지금의 유럽이 기독교국이 되었다. 순례자들이 죽기를 각오하고 걸었던 길에서 그들의 삶을 체험하며 나 또한 성지를 향해가는 마음으로 경건해졌다. 그리고 이곳 까미노가 지상의 낙원, 곧 파라다이스와 같다고 남들에게 자신 있게 이야기할 수 있었다.

힘들다는 이유나 볼 것이 많다는 이유로 하루나 이틀 걷지 않고 한 마을에서 쉬는 순례자들도 많다. 그리고 카톨릭교인들은 미사가 좋아서 쉬는 경우가 많은데, 나는 지난 24일 동안 걷기를 시작한 이래 하루도 쉬지 않고 이제껏 걸어왔다.

오늘도 비가 오고 있었고, 길에는 아무도 보이지 않았다. 나는 홀로 지척도 안 보이는 안갯길을 올라갔다. 오 세브레이로까지 고도 150m 높이를 더 올라가야 했다. 눈앞으로는 성당이 희미하게 보이고 길옆에는 돌 십자가가 있었다.

나는 2.5km의 짧은 거리에서 걷다가 멈추기를 몇 번이나 반복했다.

오 세브레이로에 도착했지만 어디가 어디인지 종잡을 수가 없었다. 이정표도 보이지 않았다. 다른 순례자 한 명도 나처럼 헤매다가 내게 길을 물었지만 모른다고 대답했다. 어쩌다보니 혼자 큰 거리로 나오게 되었는데, 이제까지 진행하던 방향이니 맞겠지 하며 계속 걸었다. 안개가 짙어 앞뒤로 아무도 보이지 않았다. 그러다가 문득 도로 이정표에서 오늘 내가 가야 할 트리아스텔라는 반대 방향이라는 것을 확인하고, 급히 왔던 길로 되돌아가니 산 정상에서 길이 두 갈래로 갈라져 있었다. GPS를 확대해서 보지 않았기에 잘못 본 것 같았다.

산길을 내려가니까 순례자들의 행렬이 보여 무조건 뒤따라갔다. 까미노 이정표는 없었으나 도로 이정표에 산티아고로 되어 있으니 맞을 것이다. 혹시나 도로 옆에 숲길이 있을지 모르지만 당장은 가기 힘든 상황이라 모두 편의상 이 차
도로 가는 것 같았다.

리냐레스 마을은 마치 독성이 있는 안개가 퍼진 곳처럼 적막했다. 그곳에는 고개를 갸우뚱거리는 모습의 순례자 동상이 있었다.

오늘의 내 모습 같았다. 길을 따라 내려오면서 조금씩 시야가 밝아졌다. 언덕 아래 초원이 보이고 아직 산 중에 남아 있는 구름이 남은 조각들을 하늘로 뿜어내고 있는 것이 보였다.

가까운 오피탈에서 식사 후 비교적 평탄한 길을 걷고 있는데, 앞에 있는 마을이 폭우 피해를 입었는지 축대가 무너져 있어 차량 통행이 어려운 상황이었다. 이 정도로 간밤에 비가 많이 왔던가? 숲길로 들어가니 잠시 후 급한 경사의 오르막길이 시작되었다. 아침에 오 세브레이로까지 올라온 것으로 끝난 줄 알았는데 또 오르막길이 지속되니 한숨이 나왔다. 그러나 어쩌랴. 내가 가야 할 길인데. 큰 숨을 들이쉬었다.

알토 데 뽀요의 정상에 도착해 호흡을 정리하고 있는 중 내 뒤로 여자 두 명이 힘들게 올라와 주저앉아 버렸다. 그곳부터 서서히 하행길이 이어졌다. 아래로 내려가면 걷힐 줄 알았던 안개가 다시 짙어졌다. 안개가 저 앞에서 뭉실뭉실 몰려오는 것이 보일 정도였는데, 금세 앞길이 10m 앞도 안 보일 정도로 희미해졌다. 그 안개는 한 시간 거리의 폰프리아 마을까지 지속되었다.

그때 이상한 이정표가 보였다. 만들어 놓은지 얼마 되지 않은 듯 가리비도 선명했고, 그 밑의 노란 화살표도 최근에 칠한 듯 전혀 변색이 없었다. 산티아고까지 남은 거리가 갈리시아주 이름과 함께 고유의 특별한 필기체로 표시되어 있었다.

Km 147,708.

스페인어 권 계통의 나라에서 숫자표기를 다르게 쓰고 있다는 걸 모르는 사람이 보면 이해가 안 되었을 거다. 스페인에서는 숫자를 표기할 때, 우리가 쓰는 콤마가 점이고 점은 콤마로 이해해야 한다. 따라서 이 숫자는 십사만 칠천 칠백팔 킬로미터가 아니고 백사십칠 킬로 칠백팔 미터인 것이다. 중동 지역에도 이렇게 쓰는 나라들이 있다.

한참을 걸어간 끝에 보이는 비두에도 마을 역시 안개에 싸여 있었다. 만약 안개가 없었다면 아마 피레네 산맥을 올라갈 때처럼 산 아래의 아름다운 풍경에 감탄하며 걸었을 것이다. 앞서가던 3명의 남자가 길옆에 멈추어 서서 그중 한 명의 남자 발뒤꿈치의 상처를 치료하고 있었다. 아무리 봐도 큰 상처 같아 급히 내 배낭 속의 거즈와 연고를 꺼내며 이것이 필요할 것 같다고 건넸더니, 일행 중 한 명이 의사라며 거즈보다 좋은 치료용 밴드를 붙여 주었다. 시카고가 고향인 그는 치료 후 나와 같이 걸으며 사촌이 한국의 해군과 같이 근무했었다며 내게 고마움과 친밀감을 표현했다.

길을 가다가 특이한 구조물도 볼 수 있었다. 집 앞에 약 1m 높이의 돌기둥 4개 위에 작은 오두막을 만들어 놓고 짚으로 지붕을 만들고 외관은 널빤지며 바닥 부분은 돌로 가로막아 놓았다. '오레오'라고 불리는 가정 개인 저장창고였다. 이후 형태는 조금씩 다르지만 거의 모든 집이 오레오를 하나씩 보유하고 있는 걸 보았다. 이곳 갈리시아 지방에서 음식물을 길고양이나 설치류 등 야생동물로부터 보호하며 바람을 이용하여 음식물을 신선하게 저장하는 방식이다. 이쪽 지방에는 유난히 길고양이가 많았다.

아직은 한참 더 내려가야 하는 듯 산 아랫마을은 보이지 않고 건너편 산에 구름이 걸려 있는 것만 선명하게 보였다. 가끔 가랑비는 오지만 길이 편한 숲길이라 순례자들의 발걸음이 가벼웠다. 비에 젖은 숲 냄새도 참 좋았다. 마을마다 아름드리 괴목들이 겨우 밑동만 남긴 채 이끼에 가득 덮여 흉측해 보였다. 이런 것조차 잘라내지 않고 그냥 두는 것을 보면 이곳 사람들은 자연의 이치에 동화되어 사는 것 같았다.

파산테스 마을을 지나는데 앞에서 달랑달랑 하는 방울 소리와 함께 맞은편 골목에서 소 떼들이 오고 있었다. 날카롭고 커다란 뿔을 가진 누런 황소들이 내가 있는 길로 우르르 밀려오는데 옆에 집들 때문에 피할 틈도 없었다. 뿔이 투우하는 소같이 위험해 보였다. 그 뒤에 농부 한 명이 긴 막대기를 들고 소들을 한 방향으로 몰고 있고 개 한 마리가 소 떼 사이를 다니며 소들이 다른 길로 가지 못하도록 막아서며 짖어 댔다. 옆으로 비켜선 채 소들이 지나가는 것을 보았다. 마을 길 가운데 작은 수로를 덮어 놓은 철 덮개에 소 한 마리가 발을 올려놓았다가 살짝 미끄러졌다. 그랬더니 그 다음부터는 철 덮개를 한 마리도 밟지 않았고 어떤 소는 옆으로 우회해서 걸었다. 어찌 이렇게 사람과 같이 학습효과가 있는 걸까? 사람들도 앞의 사람이 실수한 걸 보면 되풀이하지 않는 법인데 소도 그렇게 하고 있었다. 위험한 것을 감지하고 대응하는 동물의 본능에 감탄했다.

오늘의 목적지인 트리아카스텔라에 도착했다. 비교적 조용한 알베르게를 찾기 위해 몇 군데 기웃거리다가 한 곳을 선택해서 들어갔다. 짐을 풀고 인근 레스토랑에 가서 점심과 와인을 주문했더니 레스토랑 이름과 같은 레이블의 와인을 한 병 가져다주며 자신들이 직접 포도를 재배하여 만든 고급 와인이라며 권했다. 반병을 마시고 남은 와인을 가져갈 수 있었다.

나는 숙소로 가기 전 인근 마트에 들렀다가 다시 팔레리아 일행을 만났다. 갑자기 진열대 뒤에서 팔레리아가 화를 내며 마구 따지는 소리가 들렸다. 나중에 이유를 물으니 지난번 라구나에 올라갈 때 팔레리아 일행과 동행하던 사람이 부탁해서 알베르게를 대신 예약해주었는데, 그 사람이 그날 나타나지 않아 곤란을 겪었던 것이다. 팔레리아가 큰소리로 혼낼 만도 했다.

까미노에서는 순례자들이 모두 스쳐 지나가고 각자의 속도로 걸어가 때로는 다른 숙소에서 묵는다. 그래서 며칠 동안 얼굴을 못 볼 수도 있지만, 나와 팔레리아처럼 며칠 뒤 불쑥 마주칠 때도 있다. 아마 그 사람은 팔레리아를 다시는 못 볼 것 같아 그런 결례를 저지른 것 같았고, 연락이 안 되었는지 약속을 지키지 못했던 것 같다. 원수는 외나무다리에서 만난다는 속담이 생각났다.

저녁 때 고기와 먹으려고 미리 마늘을 잘라 놓고 양상추를 깨끗한 것만 골라내 침대 옆에 두었는데 내 침대 옆에 여장을 풀었던 여자가 조금 후 다른 방으로 옮겼다. 그 순간 '아차! 저 여자분이 마늘 냄새 때문에 그랬구나' 했다. 서둘러 마늘을 비닐로 싸서 보관했다. 그날 저녁은 혼자 돼지고기를 구워서 상추, 대한항공 기내에서 얻은 튜브 고추장과 함께 최고의 만찬을 즐겼다. 숙소는 생각한 대로 조용했고 비는 여전히 오고 있었다.

Buen Camino

트리아카스텔라 → 사리아

Day 26 Triacastela

내가 직장 다닐 때 스페인에서 근무했던 동료 직원이 한국에 귀임했는데, 부인이 자꾸 이민을 가자고 부추긴다는 말을 들었다. 나는 비록 스페인의 시골 마을만 다니긴 했지만, 아름다운 자연 풍경과 여유로움을 풍기는 사람들, 욕심부리지 않는 그들의 모습이 항상 부러웠었다. 스페인에 이민 갈 생각이 드는 것도 이해가 갔다. 현실은 어떨지 몰라도 충분히 설레는 상상이다.

26일 차에는 큰 도시 사리아까지 약 19km 정도만 걷기에 아침에 여유를 부렸다. 트리아카스텔라에서 사리아로 가는 까미노는 두 개의 코스가 있다. 그다지 높지 않은 산과 숲을 거쳐 가는 오른편 코스와 26km 정도로 길은 멀지만 카톨릭교인들이 꼭 가고 싶어 하는 유명한 수도원이 있는 왼편의 사모스루트가 있다.

트리아카스텔라를 나온 대부분 순례자는 오른편으로 걸었다. 이 길은 이제까지의 까미노 길과 사뭇 달랐다. 좁은 숲길로 올라가는 주위 나무들에 이끼가 얼마나 많이 끼었는지, 거의 괴기 영화 속 풍경 수준이었다. 가끔 보이는 잘린 나무도 어둠 속에서 봤다면 겁을 낼 정도로 기묘했고 대개의 나무들 밑동이 비정상적으로 커서 마치 영화 '반지의 제왕'에 나오는 식물들 같았다. 초기에 올라가는 길에서 무리를 추월한 이후 산실까지 아무도 보지 못했다. 경사는 거의 두 시간 동안 이어졌다. 빗물 웅덩이를 피하느라 조심스럽게 걸었고 가파른 언덕에서 몇 번을 멈추어 쉬었다.

산실을 지나 정상에 오르니 그때부터 길이 편해졌다. 그러나 숲길에 물이 많이 고여 어떤 곳은 돌담장으로 올라가 걸어야만 했다. 이곳은 목축을 주로 하는 듯 왼쪽 푸른 초원에 돌담이 이어지는 것으로 보아 가축이 넘어가지 못하도록 해 놓은 것 같았다. 중간에 돌담이 끊긴 곳에서는 코일로 막아 놓고 전기가 흐른다는 경고판이 있었다. 아마 그곳을 통해 전기 스위치를 내리고 가축을 이동시키는 듯했다.

한참을 내려 와서는 조금 특별한 카페를 볼 수 있었다. 순례자의 마음을 이해하는 어떤 마을 주민이 집의 공터에 셀프 카페를 만들어 놓은 것이다. 비록 주변은 조금 지저분한 환경이었지만 적당히 앉을 자리도 있었다. 빵과 바나나, 오렌지, 사과, 서양 배, 딸기, 포도 등과 몇 종류의 주스, 우유, 올리브오일, 잼 그리고 보온병과 접시까지 있었다. 알아서 먹으라며 그 앞 작은 칠판에 이렇게 써 놓았다.

'당신의 마음을 따르세요.
그것이 당신의 진실한 나침반이니까요.'

끝없는 초원에서 소들이 한가롭게 비를 맞으며 풀을 뜯는 모습을 보니 평화로움이 절로 찾아왔다. 황소 목에 달린 방울의 조금 둔탁한듯 절렁거리는 울림소리가 좋고, 비가 오지만 질퍽한 길이 이어지지 않아 좋고, 서서히 구름이 걷히고 멀리 보이는 마을 풍경이 좋고, 넓은 초원에 나무가 서 있는 모습조차 흡사 가족의 모습같이 정다워 보여 좋았다.

멀리 보이는 마을이 사리아인지 꽤 좋은 집들이 보였다. 핀틴 마을 이후 알베르게가 안 보이다가 사리아 전의 산 마메데 마을에서 보였다. 마을 초입에 넓은 마당을 가진 알베르게에 기아 SOUL 브랜드의 소형차가 주차되어 있어 눈길을 끌었다. 날씨가 좋으면 사람들은 잔디에 쉴 수 있고 나무 사이에 해먹을 걸어 놓아 순례자들이 실컷 여유를 부릴 것 같았다.

이제는 사리아까지 편한 길만 남았다. 사람들의 걸음이 여유로워진 걸 느낄 수 있었다. 비록 신발이나 바지 하단은 비에 젖고 흙탕물이 튀겨 지저분했지만, 비가와도 어깨를 펴고 걷는 모습이었다. 사리아는 큰 도시라서 캠핑을 겸하는 레스토랑이 있었고 정원이 있는 집도 널찍했다. 길가 어느 저택 마당에 기둥이 하나 세워져 있었는데, 그 기둥 위에 황새가 나뭇가지를 물어다 집을 지어 완전 독채가 되었다. 일부러 황새를 위해 세워 놓았을까?

마을 다리 밑 하천에는 오리가 놀고 있고 사람들이 편하게 걸을 수 있도록 목재 다리도 놓여 있었다. 사리아에 도착하니 '이제 곧 산티아고에도 다다를 수 있겠구나' 싶어 생각만 해도 가슴이 벅차올라 벌써부터 눈시울이 뜨거워졌다.

나는 다른 사람들처럼 알베르게를 예약해놓지 않기에 길 가는 사람들에게 무조건 "대성당이 어디 있느냐"고 묻고 다녔다. 대성당 근처에는 반드시 공립 알베르게와 사설 알베르게가 많을 테니, 그곳만 찾으면 될 일이었다. 대성당이 있는 언덕을 올라가다가 문득 어느 알베르게의 '수건 포함 10유로'라는 홍보 간판이 내 욕심을 자극했다.

까미노 기간 내내 좁은 공간에서 샤워했고, 폭 한 뼘 정도에 60cm 가량의 스포츠 타월로 물기를 닦아 내다 보니 습기가 남아 옷을 입을 때 늘 힘들었다. 그런데 10유로에 숙박비와 큰 타월을 빌려준다는 말에 다른 생각 안 하고 들어갔다. 게다가 알베르게 자체 와이파이가 가능하고 주방도 있으며, 낮부터 히터를 틀어주는 곳에서 4인용 방을 이용하니 10유로가 결코 비싼 금액은 아니었다. 보통은 5유로에서 10유로 정도 내고 숙박한다. 샤워 후 냄새가 좋고 보송보송한 타월로 몸을 씻어 내는 것이 얼마나 기분이 좋던지, 작은 행복을 느꼈다. 또 낮부터 따뜻하게 히터를 틀어주는 게 젖은 옷과 빨래를 말리는데 얼마나 큰 도움이 되는지 누가 알까?

마을을 산책하다가 팔레리아 일행 중 한 명을 만났지만 그들은 30일 예정으로 산티아고 도착이라 빨리 다음 마을까지 가야 한다고 했다. 산티아고에서 3일을 지낼 예정이니 그곳에서 보자고 했지만, 그 이후 그들을 보지 못했다.

폰세바돈에서 노래를 같이 부른 이탈리아인 부부가 나를 발견하고는 반가워했다. 그러면서 그날 같이 지낸 캐나다인 브루스를 못 보았느냐고 물었다. 그 사람이 의사라 도움 좀 받을까 했는데 못 찾겠단다. 길에서 처음 보는 한국인 부부가 레온부터 걷기 시작했다며 알베르게를 찾고 있었다. 까미노의 중간부터 걸은 사람들은 옷차림과 배낭부터 일반 순례자와 다르다고 느껴지는 것은 편견이었을까?

마을에 경찰서가 있는 것이 신기했고, 도시의 숙소답게 알베르게마다 여러 가지 조건과 혜택들을 밖에 써 놓아 서로 경쟁하며 돈을 벌려는 욕심이 보이기도 한 곳이었다. 나는 밤늦게까지 맞은 편 침대에 누운 독일인과 많은 대화를 나누었다. 이 여정의 마지막을 며칠 남겨둔 밤이었다.

Buen Camino

사리아 ➡ 포르토마린

Day 27 Sarria

지난밤을 편하게 자고 나오며 한 가지 생각을 해보았다. 여행을 다닐 때 적어도 잠은 편한 곳에서 자야 한다고 주장하는 사람들이 있다. 그들이 까미노의 알베르게 다인실을 이용하지 않고 편한 개인방을 쓸 경우의 비용은 얼마나 될까? 사리아에서는 관광객이 많아서 그런지 모든 알베르게가 그 가격을 미리 제시해주고 있었다. 독방을 사용할 경우는 30유로, 침대 두 개가 있는 방을 원할 경우 35유로 정도이니 그다지 큰 부담은 안 될 거라는 생각이 들었다.

그저 그만한 가치가 있겠거니 짐작할 뿐이다. 사람에 따라 추구하는 바와 원하는 것이 다르니, 그에 맞게 이용하면 된다.

사리아라는 도시는 조금 과해 보일 정도로, 이곳이 '사리아'임을 강조하는 상징을 여러군데서 발견할 수 있었다. 길가의 문장에서도 보이듯 사리아는 알폰소 9세의 흔적을 많이 가지고 있었다. 알폰소왕의 기념비가 많은 성당 앞길과 중앙로를 지나 조금 걸으니 금방 숲길이 나왔다. 숲길은 곧 철길과 만났고 그렇게 한참을 걷다가 철길을 가로질러 건넜다. 이 길을 넘어가면 수없이 많은 괴목을 만날 수 있다. 한국에서의 괴목은 죽은 나무이지만 이곳의 괴목은 모두 살아 있는 나무다. 어떻게 나무가 이렇게 자랄까? 나무의 밑동은 크기도 클 뿐만 아니라 완전히 폭탄 맞은 듯이 처참했다. 그런 나무들이 조금 자라다가 그 위에서는 작은 가지를 뻗고 이끼만 가득 덮은 채 남아 있었다.

이제까지 못 보던 얼굴들이 단체로 길을 걷고 있었다. 여자들로 구성된 한 팀은 마치 소풍 갈 때 사용할 것 같은 작은 배낭을 멨고, 남자들 한 팀은 배낭이나 옷차림으로 봤을 때 이제까지 까미노를 걸은 팀이 아닌 것으로 보였다. 멀리 보이는 고가 고속도로를 달리는 차들은 총알보다 더 빠르게 달리고 있었지만 이곳 들판 길을 걷는 순례자들은 달팽이처럼 느릿느릿 걷고 있었다.

이곳은 넓은 벌판에 밀을 심은 것도 아니고 유채꽃을 심은 것도 아닌 그냥 잡풀들이 자라는 것 같았다. 그런데 모두 높이가 다르지만 이상하게도 어느 높이 이상을 넘지 않았다. 그래서 멀리서 볼 때는 잘 다듬어 놓은 풀밭으로 보였다. 어제 온 비로 인해 땅은 축축하나 물이 고여 있지는 않았다. 정말 오랜만에 멀리 동쪽 하늘에서 태양이 떠오르는 듯 붉은 기운이 보였다. 연한 갈색의 대지 위에 보이는 나의 긴 그림자도 오랜만에 제 위치를 찾았다.

길가에서 알베르게를 겸한 멋진 카페를 발견했다. 카페의 테이블에는 빗방울들이 흥건하게 남아 있었다. 나는 먼동이 트는 것을 보며 그간 연일 빗길을 걸어야 했던 것이 순례자들을 가장 지치게 만든 어려운 일이었다고 생각했다. 그 카페에서 투숙한 사람들이 체크아웃을 하는 건지 가지고 온 트렁크를 모두 밖에 모아놓고 있었다. 이 한국 남녀들의 모습은 걷는 것이 아니고 일반 여행을 온 것 같았다. 옷차림도 트레킹하는 사람들 모습이 아니었다. 그런 사람들이 다인실이 많은 알베르게를 이용하는 것이 조금 의외였다.

지도상으로는 다음 마을까지 언덕을 한참 올라가야 한다고 나와있었지만 그다지 높은 언덕은 아니고 완만한 경사라 좋았다. 길가에는 예쁘고 하얀 사과꽃이 피었고 이름 모를 노란 꽃, 보라색 꽃들이 가득했다. 그 길에서 이제는 보지 못하는 이탈리아인 이지노 씨보다 더 천천히 걷는 스페인 사람을 보았다. 서로 인사를 나누며 천천히 걷는다 했더니 나보고 "뽀까, 뽀까" 했다. 뽀까는 작다는 뜻이니 아마 조금씩 간다는 의미일 것이다. 계속된 비로 작은 언덕이 있는 숲길에는 물이 넘쳐서 만약 돌다리를 미리 만들어 놓지 않았다면 도저히 지나갈 수 없어 낭패를 당할 것 같았다. 이런 곳들이 자주 보였다.

페르스까요를 지나면서 정말 오랜만에 파란 하늘을 보았다. 거의 9일 만인 듯했다. 푸른 초원은 더 푸르렀고 나무들은 싱그러웠으며 길가의 돌들은 깨끗하고 멀리 마을의 집들도 더 또렷하게 보였다. 목가적인 마을을 지나 어느 골목을 지나니 갑자기 어수선한 카페가 보였다. 까사 모르가데라는 카페였는데, 사람들이 실내나 실외에 많이 몰려 있고 너도 나도 스탬프를 찍었다. 나도 스탬프를 찍어보니 까미노 99.5km로 표시되었다. 그런데 그 거리는 이제까지 보아왔던 까미노 이정표의 거리와 다른 수치였다. 지나가던 바이크 순례자들도 이 앞을 지나는 일행들에게 '세요, 세요(스탬프)' 하며 불러 세웠다. 스탬프 찍고 가라는 말이었다. 까미노 어플 상에 모르가데는 까미노 103.4km 지점에 위치하고 있었다.

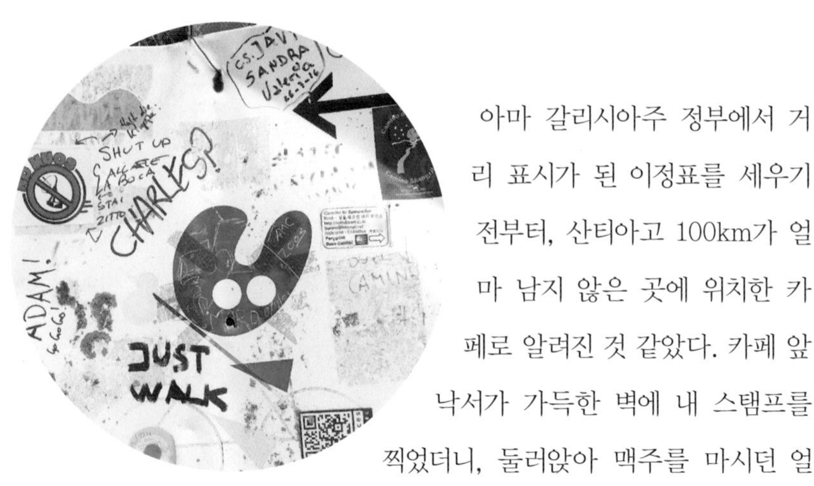

아마 갈리시아주 정부에서 거리 표시가 된 이정표를 세우기 전부터, 산티아고 100km가 얼마 남지 않은 곳에 위치한 카페로 알려진 것 같았다. 카페 앞 낙서가 가득한 벽에 내 스탬프를 찍었더니, 둘러앉아 맥주를 마시던 얼굴이 눈에 익은 덴마크 아가씨와 브라질 청년 일행이 내 스탬프를 자기들 크레덴샬에도 찍어 달라기에 찍어 주었다. 그러자 주위에 있던 순례자들이 다들 자신의 여권에도 찍어 달라 해서 내 스탬프가 갑자기 인기를 얻었다.

호젓한 숲길과 목장 길을 한참 걸었다. 나는 어느 순간부터 길가의 이정표 숫자에 관심을 두기 시작했다. 길모퉁이의 이정표 숫자가 100,757km을 보여주었다. 이제 조금만 더 가면 100km 밑으로 내려간다는 사실이 나를 설레게 했다. 이 긴장된 순간에 누군가와 같이 있으면 좋겠다는 생각이 들었다. 마을 끝에 위치한 공동묘지는 다른 곳과 달리 순례자가 지나갈 수 있도록 묘지의 앞뒤를 열어 놓은 곳이었다. 그들의 묘비에 적힌 글은 아주 간단했다. 망자의 이름, 출생년 월일, 사망일 그리고 자손들의 이름이 아닌 '자녀와 손주들'이라고만 표시되어 있었다. 묘비마다 작은 꽃들이 장식

되어 있고 어느 묘비에는 사진도 새겨 넣어져 있었다.

그곳을 지나서 첫 번째로 발견한 이정표에는 100,252km라는 숫자가 보였다. 이제 대충 걸음만 계산해도 100km 지점이 어딘지 알 것 같았다. 한 여자가 막대기를 들고 소를 몰고 있는 축사 삼거리가 꼭 100km 지점일 것 같은 예감이 들어서, 지나가는 순례자에게 흥분한 어투로 이야기했다. 아니나 다를까, 얼마 못 가서 발견한 이정표에 'Km 99,930' 표시가 있었다.

'하나님 감사합니다. 이젠 다리가 아파 걸어서 못 가면 기어서라도 산티아고를 갈 수 있을 것 같습니다.'

내 안에서 기도가 절로 흘러나왔다. 길이 갈라지는 곳에 누군가의 추모용 십자가가 있었는데, 온갖 잡다한 것들이 다 걸려있었다. 이제 까미노 막바지이다 보니 순례자들이 필요 없는 물건들을 그곳에 걸어 놓은 것 같았다. 마을 주민 중 자신들의 공간 일부를 순례자들을 위한 쉼터로 제공한 곳도 있었다.

마을을 지나 포르토마린이 얼마 남지 않은 곳에 기념품 가게가 있어 그냥 지나치려다가 가게 앞 진열대에 한글로 쓰여 있는 말을 보고 끌리듯이 안으로 들어갔다. "한국 컵라면 있습니다! 진 컵라면, 김치 밥!" 이 말을 보고 어찌 그냥 지나칠 수 있겠는가? 가게 안에 한국에서 익히 보던 컵라면들이 즐비했다. 지난번 카카벨로스에서 먹은 라면은 우리나라 것이 아니었는데 이것들은 모두 한국산이었다. 신라면, 새우탕, 진라면, 김치라면, 짜파게티, 3분 짜장……. 마음 같아선 다 먹어보고 싶었지만, 이걸 다 먹을 수도 없고 하나를 골라야 했다.

"신라면 하나 주세요."

가게에 있던 사람이 커피포트에 물을 끓여 내오면서 나무젓가락을 주었다. 이것 참 제대로였다. 가격은 2.8유로, 그러니까 약 4,000원인 셈인데 이 가격에 먹을 만했다. 나는 국물까지 모조리 다 마셔 버렸다.

언덕 위에 오르니 멀리 포르토마린이 보이기 시작했다. 이름에서 알 수 있듯, 포르토마린은 큰 호수가 있는 마을이었다. 큰 보행길 저 멀리서 농부가 개와 함께 소 떼와 양 떼를 몰고 올라오는 풍경이 반고흐의 그림 한 폭처럼 보였다. 수풀 사이로 보이던 호수가 점점 커지더니 어느 사이엔가 낮은 숲에 가려져 버렸다. 포르토마린 입성을 위한 통로인 듯, 작은 골목 돌담길에는 이끼가 가득 붙어서 이리로 가라고 하는 것 같았다. 그 길 외에 바이크가 다니는 다른 코스도 표시해 놓았다. 그리고 더 높은 돌담이 있는 골목에서 돌들이 용암에 녹아내려 길을 만든 듯한 멋진 길을 만났다. 겨우 사람이 한 명 정도 지나 갈만한 길이었는데 큰 바위 일부분이 공룡의 등 같은 우툴두툴한 곡선으로 되어 있어 경이로움이 절로 느껴졌다.

그 끝을 벗어나 미뇨 강 위로 놓인 아름다운 다리 건너에서 요새 같은 도시의 모습을 볼 수 있었다. 탄성이 절로 나올 정도였다. 아찔한 높이의 다리를 건너고 나서부터는 그 끝에서 어디로 갈지 막막해졌다. 계단 위의 성문으로 올라가야 하는지 아니면 옆의 로터리 길을 따라가야 하는지 이정표가 불확실했다. 계단 꼭대기에 순례자로 보이는 사람이 있어서 올라갔는데 성문을 지나니 잘 지어진 현대식 마을이 내려다 보였다. 한국처럼 강변의 전망이 좋은 지점에는 모두 레스토랑이나 알베르게가 차지하고 있었는데, 그곳은 모두 가격도 비쌌고 레스토랑에서 사먹게 하려는 건지 실내에는 주방도 없었다.

바가지 같은 비싼 요금이 싫어서 공립 알베르게를 찾아 기웃거리다가 한국 아가씨를 만났는데, 자기는 이곳이 아름다워 어제 도착해서 하루 더 묵고 있다며 공립 알베르게 위치를 알려 주었다. 식당이 즐비하게 늘어서 있는 길을 따라 성당이 있는 마을 광장을 지나니 큰 알베르게가 나왔다. 안쪽에 큰 주방도 있기에 모든 것이 다 가능하겠다 싶었는데 알고 보니 주방은 모양만 있지 사용하지 못하게 되어 있었다. 그런 것을 모르고 끓여 먹어야 하는 저녁거리를 사 왔으니 암담했다. 그래도 남녀 별도로 있는 샤워 시설이나 화장실 등은 크고 좋았다.

와이파이를 이용할 수 있는 근처 레스토랑에서 점심을 먹고 광장을 산책했다. 인적이 제법 드물었는데, 어느 남녀 순례자가 배낭을 옆에 둔 채 광장 계단에서 진하게 키스를 하고 있었다. 연인이라면 어찌 이런 멋있는 곳에서 키스를 하지 않을 수 있겠는가?

날씨가 너무 좋아 강을 바라볼 수 있는 성문 옆 벤치에 앉았다. 혼자 우두커니 강물을 바라보며 한참을 앉아있자니, 아무 생각이 들지 않을 정도로 평화로운 기분이었다. 나 말고도 여유롭게 자신만의 시간을 보내고 있는 순례자가 몇 명 있었다.

알베르게에서는 워낙 큰 방 하나에 많은 사람이 지내는 터라 볼썽사납게 웃통을 벗고 다니는 남자도 많았다. 아직 날은 어둡지 않았지만 9시가 넘은 시간이라 침대에 누웠다. 그때 내 옆 이층 침대에 있던 마리아라는 이름의 아가씨가 말을 걸어왔다. 내 위에서 자고 있는 친구와 함께 아르헨티나에서 왔으며 사리아에서 출발했단다. 한국에 대해 궁금한 게 많은지 이것저것 질문이 많았다.

밤 10시가 넘어서야 어둠이 오는 스페인인데, 이 알베르게에는 다른 곳처럼 햇빛을 차단할 수 있는 덧창문이 없었다. 나는 아직 밝은 빛이 들어오는 방에서 잠들기 위해 무척 애를 쓰다가 겨우겨우 잠에 들었다.

Buen Camino

포르토마린 → 팔라스 데 레이

Day 28 Portomarin

지난밤에는 충분히 숙면을 취하지 못했다. 왜 그랬을까 생각해 보니 어제 잠시 낮잠을 잔 후유증 때문이 아닐까 싶었고, 또 한편으로는 이제 산티아고가 멀지 않았다는 기대감과 흥분 때문인 것 같았다. 나는 그만큼 큰 설렘을 갖고 있었다. 사람들 대개가 하루 종일 걷고 숙소에 도착해서 샤워와 빨래를 하고 낮잠을 자는 편인데, 나는 거의 낮잠을 자지 않는 편이었다.

어제 사리아에서 그간 못 봤던 가벼운 배낭을 멘 무리가 왜 그리 많은가 했더니, 스페인의 여행사들이 사리아에서부터 산티아고까지 100km 걷기 여행 상품을 판매한다는 이야기를 마리아에게서 들었다.

가로등 불빛 덕에 그다지 어둡지 않은 중앙로를 지나 호숫가 길을 걷고 있었다. 그러다 유턴하라는 이정표를 보고 이 길이 맞나 하는 의구심이 들었으나 어제 오후에 다른 이들이 이 길로 가는 것을 보았기에 다리를 넘어갔다. 곧 어두운 숲길이 나타났고 언덕을 숨가쁘게 올라가서야 평탄한 길이 이어졌다. 길옆 밭에는 이제까지 까미노를 걸으면서 보지 못했던 곤포 사일리지가 보였다. 다른 지방에서는 추수 후 대개 밀짚을 그냥 커다랗게 엮어 높게 쌓아 놓았는데, 여기는 한국처럼 밀짚을 흰 비닐로 꽁꽁 싸매어 보관하고 있었다.

먼동이 트기 시작하고, 전방이 훤해졌다. 걷기 시작한 지 1시간 반이 넘었건만 아직 내 앞뒤로는 아무도 없었다. 어제 포르토마린에서 본 그 많은 순례자 중 내가 제일 먼저 길을 나선 것인가? 다음 마을인 곤자르까지 8km를 가야 하기에 배가 고플까 봐 어제 미리 사놓은 큰 바나나 2개로 아침 요기를 했더니 아직 허기가 느껴지지 않았다.

추수가 다 끝난 밀밭에서 황새 한 마리가 밭을 헤집으며 무언가를 찾고 있었다. 까미노에서는 날짐승들이 사람에게 위험을 느끼고 피하는 거리가 그리 멀지 않았다. 한국 거리에서 걸을 때 참새들은 사람과 가까워지기 전에 무리 지어 날아가고, 황새는 더 예민해서 사람이 멀리 보이기만 해도 날아가 버린다. 하지만 이곳에서는 이름 모를 까만 새 한 마리조차 사람이 불과 2~3m 앞에 있더라도 날아가지 않았다.

길이 숲으로 이어져 조림이 아주 잘 된 지역을 지나갈 때쯤 두 사람의 순례자가 앞서가고 있었다. 지금 이 시각에 내 앞에 있다는 건 걸음도 나보다 빠르지 않다는 것이고, 확실치는 않아도 아침 6시 이전에 나온 듯했다.

곤자르 카페에서 평소 알베르게에서 가끔 보던 나이 든 미국 여인을 다시 만났다. 내게 다가와 어느 곳에선가 내가 노래 부르는 걸 들었다며 참 좋았다고 칭찬을 아끼지 않았다. 나도 다른 알베르게에서 그녀를 본 적이 있었다. 내가 좋아하는 할리우드 영화 '러브 어페어'의 여주인공인 어네트 베닝의 나이 든 모습을 많이 닮아 눈에 익었었다.

오스피탈 데 크루즈 마을을 지나 도로가 교차하는 지점에서 다리를 넘는데 앞서 홀로 가는 은발의 여성이 보였다. 허리를 구부정하게 걷고 있기에 지나치며 보니 나이가 많아 보였다. 그냥 지나치기 궁금하여 나이를 물어보았더니 86세란다. 그 나이에 배낭을 메고 걷고 있다는 것 자체가 대단했다. 독일에서 왔는데 자신도 무언가 할 수 있다는 것을 보여 주기 위해 사리아에서부터 걷기 시작했단다. 그분이 더 힘내길 바라며 "꼭 산티아고까지 완주하세요"하고 말했다. 다시 혼자 길을 가다가 그분에게 작은 선물이라도 드리고 싶어 멈춰서 기다렸는데 오지 않았다. 일부러 길을 되돌아가니 그분이 나를 놀란 눈으로 바라보았다. "조그만 선물을 하나 드리고 싶어서 왔다"고 하니까 너무나 고운 미소로 고맙다며 나를 안아 주었다. 함께 사진도 찍었는데, 그분은 내게 "다른 사람에게 내가 86세라는 것을 말하지 말라"고 웃으며 당부했다. 그분은 그날 오후 5시 반 경에 내가 묵고 있는 숙소에 도착했다.

곤자르 이후로는 예쁜 마을이 자주 보였지만, 굳이 쉴만한 필요성을 느끼지 못했기에 지나쳤다. 지가가다 마을 공동묘지를 볼 수 있었는데, 빨간 해당화같이 생긴 협죽도 나무에서 꽃잎이 떨어져 그 밑에 빨간 주단을 펼쳐 놓은 것처럼 보여 너무 아름다웠다.

다시 산 아래는 어두워졌고 또 다시 비가 올 것을 대비해야 했다. 걷는 길의 노면 상태는 최고였다. 부드러운 흙길, 길가에는 큰 나무들이 있고 차도가 있었지만 통행량은 그다지 많지 않았다. 남녀 순례자가 내 옆을 빠르게 스쳐 지나가더니 금방 멀어졌다. 어찌 저렇게 빨리 걸을 수 있을까? 배낭을 볼 때 까미노 풀코스 순례자는 아닌 것 같았다.

리곤데 마을 길가에서 독특한 탑 기둥 하나를 보았다. 이 기둥에 대한 이야기는 바로 전날, 까미노 관련 책에서 보았었다. 꼭대기와 하단에 사방으로 예수님의 고난을 상징하는 못과 망치, 가시관, 해골이 조각되어 있었고 아기 예수를 안은 성모마리아의 모습도 있었다.

그곳을 지나니 마을 한복판에서 젊은이들이 기타를 치고 있고 앞에는 작은 카페가 있었다. 커피 한잔 할까 하고 들어가니 커피는 없고 다른 간식들만 있어 간단히 실내만 둘러보았다. 그러다 예수님의 복음을 전하는 영어 문장을 발견하고 이상하다는 느낌을 받았다. 카페 어디에도 스페인어가 쓰여 있지 않았고, 청년들의 얼굴을 보니 스페인 사람은 아닌 것 같아 궁금증은 더 커졌다. 기타 치는 젊은이와 바이크용 헬멧을 쓰고 약간 어눌하게 말하는 아이가 대화를 주고받고 있었다. 젊은이에게 존덴버의 'Take me home country road'를 같이 부르자 했더니, 존덴버가 누군지 모르고 노래도 모른다기에 G 코드를 잡으라고 한 뒤 내가 노래의 서두를 부르자 어디선가 들어 본 적이 있다는 듯 후렴 부분을 따라 했다.

그리고 얼마 지나지 않아 들어간 다른 카페에서, 그 청년들의 일행을 만나 이야기를 들을 수 있었다. 자신들은 미국에서 왔고 모두 크리스천이며 청소하는 봉사 활동을 위해 왔다는 것이었다. 그래서 전도가 목적이 아니냐고 물었더니, 일부러 부인하는 것인지는 몰라도 청소가 목적이고 일주일 동안 체류하며 이 마을의 구석구석을 청소하고 돌아간다는 말만 했다. 그 동네가 조금 지저분하긴 했지만, 청년들의 옷은 청소 복장이 아니었다.

점점 순례자들이 많이 보였다. 아마 인근의 다른 마을에서 출발하는 사람들이 합세한 것 같았다. 팔라스 데 레이까지 길은 멀지 않았지만 아스팔트 도로를 한참 지나야 했다. 어느 알베르게는 정원에 개미를 크게 형상화한 작품을 놓아 사람들의 눈길을 끌었다.

사람들이 한 방향으로 가는 길에 마주 오는 여성 순례자가 있기에 물어보니 산티아고에서 생장까지 가는 길이란다. 이전에 생장에서 산티아고까지 걸었는데 너무 좋아 이번에는 역으로 걷고 싶어 나선 것이었다. 이 말에 내 귀가 솔깃해졌다. 그 여자는 아직 얼굴에 지친 기색이 없었다. 길을 걸으며 한쪽 다리가 불편한 순례자와 허리가 아파 거의 오른쪽으로 기울어져 가는 순례자를 봤을 때도 가슴이 찡해지는 걸 느꼈다. 저런 몸으로도 어떻게 길을 나설 결심을 하게 되었을까? 산티아고는 스스로 악조건을 택하고, 고통을 겪을 거라는 걸 알면서도 걷고 싶은 매력이 있다. 길 위에서 받는 고통보다, 더 큰 행복과 성취감을 갖게 되고 감동 받을 수 있기 때문이다.

큰 나무들이 그늘 터널을 만들어 준 편안한 숲길을 걸었다. 곧 공립 알베르게에 도착할 수 있었다. 체크인해보니 주방에는 아무런 식기도 없고 전기 히터만 있었다. 전날 사 놓고 먹지 못한 소시지를 어떻게 먹을까 고민하는데 마침 같은 방에 체크인한 한국인 부부가 작은 코펠 하나를 빌려주었다. 남편이 지난해 까미노를 완주해보니, 작은 코펠이 필요할 때가 많아 준비한 것이었다. 이번에는 부부가 함께 부르고스에서 걷기 시작했다는 말을 들으며 같이 식사를 했다. 나도 순간 준비물에 대한 생각이 들었다. 내가 산티아고 짐을 챙길 때, 비상약 중에 내가 간과한 것이 있었다. 매일 걷기 때문에 제일 고생하는 건 발이라고 생각했었는데, 그뿐만이 아니었다. 늘 땀이 배고 마찰이 많은 사타구니에 습진이 생겨 매우 고생했던 것이다. 역시 경험만 한 준비가 없는 것 같았다.

오늘도 어제처럼 아르헨티나 아가씨 마리아와 같은 방에서 투숙했는데 마리아는 끊임없이 조잘대고 노래하기를 좋아했다. 저녁 늦게까지 몇 사람과 함께 스마트폰에 저장된 비틀즈의 노래와 올드 팝송들을 부르며 즐거워했다.

Buen Camino

팔라스 데 레이 ➡ 아르주아

Day 29 Palas de Rei

이 여행의 종착지인 산티아고 데 콤포스텔라가 멀지 않았다고 생각할 때마다, 자꾸 가슴이 복받쳐 오고 눈물이 흘러나왔다. 그런데 그곳에 실제 도착하게 되면 얼마나 더 많은 감격의 눈물이 흐를까?

오늘도 여전히 새벽 어둠에 잠긴 알베르게의 대문을 내가 직접 열고 길을 나섰다. 그리고 아침마다 늘 그래왔듯이 가족들에게 메시지를 보내서 나의 출발을 알렸다. 마을에서 까미노로 나가는 동안 역시 일찍 나온 몇 명의 사람을 볼 수 있었다. 목가적인 농촌의 아침 풍경을 즐기며 걸어갔다. 그제 걸으며 처음 봤던 오레오는 대를 이어 물려받는 것인지 대개 상당히 고풍스럽고 낡아 보였다. 하지만 중간 중간 막 새로 지은 오레오도 보였다.

나는 습한 기운이 가득한 숲으로 발걸음을 재촉했다. 그간 내린 비가 숲 속에 아직 남아 있는 듯했다. 언덕길이 계속 이어졌지만 그리 길지 않았고 높지 않아 좋았다. 이른 아침마다 길에서 종종 만났던 수녀로 보이는 여자 순례자와 또 마주쳤다. 벌써 며칠 째였다. 그녀는 이제껏 우비를 쓰고 있고 늘 치마를 입고 있어 몸이 상당히 뚱뚱한 줄 알았는데 간단한 목례를 하며 보니 앞으로 멘 작은 가방 때문에 착각했다는 걸 알았다.

큰 가리비를 벽에 장식한 카페 겸 알베르게는 아직 영업 준비가 안 되어 지나치고 다음 카페에 들어갔다. 어제 만난 어네트 베닝 닮은 미국 여자가 호주 남자와 같이 아침을 먹고 있기에 목례를 했는데, 이후 길을 걷다가 다시 만나서 서로 통성명을 하게 되었다. 그 여자의 이름은 페기이고 친구는 캐틀린이었다. 페기는 남편과 사별 후 무언가 인생의 전환이 필요해서 친구와 함께 까미노를 걷고 있었다. 페기는 걸음이 상당히 빨라서 항상 앞섰고, 캐틀린은 걸음이 느려 뒤처지기를 반복하는 것 같았다. 캐틀린은 아코디언과 우쿨렐레를 연주하는데, 배낭을 메고 걸어 보니 아코디언 무게와 비슷하다며 깔깔 웃었다. 나도 우쿨렐레를 연주한다 했더니 캐틀린이 많이 기뻐했다. 그러면서 페기가 당신을 좋아하니까 빨리 걸어서 그녀와 같이 걸으라는 말을 해서 우리는 또 웃었다.

이날도 역시 길에서 바르셀로나에서 온 남자 두 명을 만났다. 그들은 내가 알아듣든 말든 열심히 스페인말로 이야기했고, 나도 확실히는 아니지만 무슨 이야기를 하는지 대충 알아들을 수 있어 "씨, 씨"하면서 맞장구쳤다. 그리고 내가 "우리는 Siempre Amigo (영원한 친구)"라 했더니 무척 좋아했다.

멜리데를 향해서 가다가 가운데 부분이 조금 높이 솟은 작은 돌다리를 보았다. 원래 이 길은 '로마로드' 라고 불리기도 하는데,

로마 시대에 전차가 지나가기 위해 만들어진 것이었다. 그래서 다리의 폭이 전차의 바퀴 폭에 맞추어져 있었다. 페기와 같이 있던 호주인에게 이런 이야기를 해주었더니 잘 이해하지 못하는 것 같았다. 그래서 "로마의 황제 시저가 지나갔던 길이었을 것"이라고 농담 삼아 얘기했더니 시저라는 말을 들은 이후, 나만 보면 어디서든 가슴에 팔뚝을 얹으며 로마식 인사를 했다.

날씨가 한결 더워지고 있었고 마침 숲 속에 앉기 편한 바위가 있어 신발까지 벗고 여유를 즐겼다. 햇볕도 따스하게 비추는 터라 배낭 속 빨래들을 꺼내서 다시 배낭에 주렁주렁 걸었다. 피곤함도 덜어지는 듯했다.

멜리데는 큰 도시라 그런지 멀리서도 큰 건물이 몇 개 보였는데, 그중 하나의 건물 위에 한국의 기아자동차 로고가 선명하게 보여 반가웠다. 그리고 이곳에서 조금 특별한 돌 비석들을 만날 수 있었다. 큰 돌의 가운데를 사각형으로 파내어 그 안에 또 다른 돌을 집어넣은 것이었다. 박아 놓은 돌에 어떤 표시는 없었는데, 그 돌 또한 낙서가 되어 있는 돌에서 파 온 것처럼 글씨 일부가 잘려져 있었다. 무슨 이유일까? 이 근방에서도 역시 어느 순례자의 죽음을 추모하는 돌비석이 있었다. 그 이전에도 수많은 순례자가 까미노 중에 순교 혹은 병사를 했겠지만 주로 보이는 것은 최근 10년에서 20년 사이의 묘비들이었다. 그렇다면 그 이전의 묘비나 기념 십자가

들은 다 어디 갔을까? 세월이 지나 까미노에서도 굳이 종교적으로 남길 것이 아니면 치우는 걸까?

어떤 현지인이 길가에 좌판 하나 벌여 놓고 작은 기념품을 팔면서, 크레덴샬에 스탬프를 찍어 주는 대가로 돈을 받고 있었다. 그런데 그냥 찍어 주는 게 아니었다. 외국에서 아주 중요한 서류를 다룰 때 쓰는 방식이었다. 봉투 뚜껑을 닫은 실 끝에 빨간 양초를 녹여 실 위에 떨어뜨리고 굳기 전에 스탬프를 찍는 것이다. 이렇게 담당자 외에는 서류를 절대 열어 볼 수 없도록 하는 것을 왁스 봉인이라 한다. 현지인은 그와 비슷하게 크레덴샬에 양초를 녹여 스탬프를 찍어 주고 1유로씩 받았다. 아이디어를 보아 돈을 받을만한 가치가 있다고 생각되어 나도 스탬프를 받았다.

이제 산티아고까지의 거리가 50km 밑으로 떨어졌다. 이런 이정표를 볼 때마다 가슴이 더 북받쳐 왔다. 옆에 지나는 독일인이 말을 걸으며 "나는 하루 40~50km를 걸으며 까미노를 내일 안에 끝내겠다는 목표를 잡았는데, 이제 거의 다 왔다"며 좋아했다. 세상에! 어떻게 하루에 그렇게 많이 걸을 수 있을까? 마라토너 같은 철각을 가진 사람이었다.

다시 걷기 편한 숲 속으로 들어가 숲 냄새를 맘껏 맡았다. 이렇게 상쾌한 냄새를 맡을 날도 얼마 남지 않았다는 생각이었다. 길가 간판에 '폰테'라는 말이 보여 앞에 연못이 있음을 직감했다. 그

연못 앞에서 바르셀로나에서 온 두 남자의 사진을 찍어 주었더니 그 뒤로도 나를 보면 친구와 나를 가리키며 '도스 포토'(2명 사진) 하면서 무척 고마워했다. 멜리데 시내에 들어가니 큰 도시답게 주차된 차들이 많고 단층건물이 없을 정도의 번화가였다. 마을 중간에 있는 산타 마리아 성당을 들어가 잔향을 박수로 확인하고 낮은 소리로 찬양을 부르니, 성당 봉사자와 성당을 구경하고 있는 순례자들이 참 좋아했다.

샘물이 가득한 숲 속의 돌 징검다리 위에서 순례자들은 신이 나 있었다. 모여서 사진도 찍고 앉아서 쉬기도 했다. 그런데 그들을 자세히 보니 거의 모두 단기여행자들이었다. 그런 곳에서 쉬는 장기 순례자들은 거의 없었다. 아르주아 지역에 도착했다는 안내 간판을 보자 미소가 절로 지어졌다. 하지만 배가 고팠다. 마당이 넓은 길가 카페에서 점심을 시켜 먹고 있는데 페기와 캐틀린이 오는 것이 보였다. 다른 호주인이 먼저 그녀들을 불렀는데, 그 둘은 내가 있는 테이블로 와서 앉았다. 왠지 미안한 느낌이 들었다. 페기가 힘들다며 신발을 벗었는데 양쪽 발의 발가락 몇 개에 테이프들이 칭칭 감겨있었다. 그런데도 그렇게 씩씩하게 빨리 걷다니 대단한 여인이었다. 그녀에게 "Without Pain, No Glory(고통 없이는 영광도 없다)" 라고 했더니 그녀도 맞는 말이라며 함빡 웃었다.

이제 순례자들도 완전히 여유를 찾았는지, 길을 걷다 말고 숲 속 의자에 앉아 편한 복장으로 글을 쓰고 있었다. 내가 카메라를 들이대니 환하게 웃어주었다. 어떤 이는 길가 그늘진 곳에 배낭을 옆에 놓은 채 낮잠에 빠져들었다. 다들 산티아고 도착 날짜를 계산해두었을 거라 생각했다.

꿈같은 숲 속의 길과 목장길이 계속 이어졌다. 나무들이 보기 좋고 깨끗해서 어린 시절에 갔던 아버님 고향 시골길의 편안함이 떠올랐다. 잘 다듬어져 있고, 구획 정리가 잘된 밭들 그리고 마을 뒤에 보이는 울창한 숲이 좋았다. 숲은 터널을 만들고 있었고, 그 사이로 끝없이 걸어가면 토끼들이 말을 거는 이상한 나라가 있을 것 같은 느낌을 받았다.

아르주아로 가기 위한 언덕을 다 오르고 그 위에 전망이 좋은 곳에 벤치가 있어 나도 다른 순례자처럼 배낭을 옆에 두고 벤치에 길게 누웠다. 내 모습을 본 미국 캘리포니아에서 왔다는 애드리안이라는 여자가 내게 말을 걸었다. 이번에 완주하지는 못하지만, 까미노를 걷는 동안 너무 행복해서 집에 있는 남편과 아이들이 전혀 생각나지 않는다며 웃었다. 같이 길을 걷다가 길가에 빨간 꽃잎들이 많이 떨어져 있기에 어떤 미국 영화가 생각난다 했더니 애드리안은 금방 그 영화 제목이 '아메리칸 뷰티'라고 맞받아쳤다. 그리고는 둘이 그 영화의 주연배우 이름을 생각해 내느라 머리를 갸웃거렸다. 생각해보니 케빈 스페이시라는 걸 떠올리고 우리는 다시 웃었다. 영화를 아는 이들, 음악을 아는 이들, 그리고 진정 여행을 좋아하는 이들과 만나면 그 누구라도 웃음꽃이 핀다.

지난번 사리아에서 오붓한 알베르게의 맛을 들여서인지 복잡한 알베르게가 싫어졌다. 이전에는 공립 알베르게도 모든 시설을 다 갖추고 있었는데 산티아고에 가까이 올수록 공립 알베르게들의 편의 시설이 부족했다. 자체 와이파이도 없었기에 인근 카페를 찾아가서 주문을 하고 나서야 인터넷으로 한국에 있는 가족에게 하루 일정을 마쳤다는 연락을 할 수 있었다. 주방이 없어 식당에서 사 먹어야 하는 상황도 싫어서 숙박비를 조금 더 지불하더라도 사설 알베르게를 찾을 수밖에 없었다.

공립 알베르게 건너편에 있는 사설 알베르게에 들어가니 침대 간격도 넓고 깨끗한 곳이었다. 다려진 하얀 침대 시트와 밤에 잘 때 덮으라고 주는 모포도 청결했고, 내가 일찍 도착해서 2층이 없는 단독 침대를 먼저 차지할 수 있었기에 만족스러웠다.

빨래와 저녁 식사를 마치고, 하루의 일기를 메모한 후 다시 시내로 나갔는데 마을 광장이 시끄러웠다. 오늘 축제가 있는 듯 악기 소리가 들려서 사진을 찍기 위해 가까이 갔다.

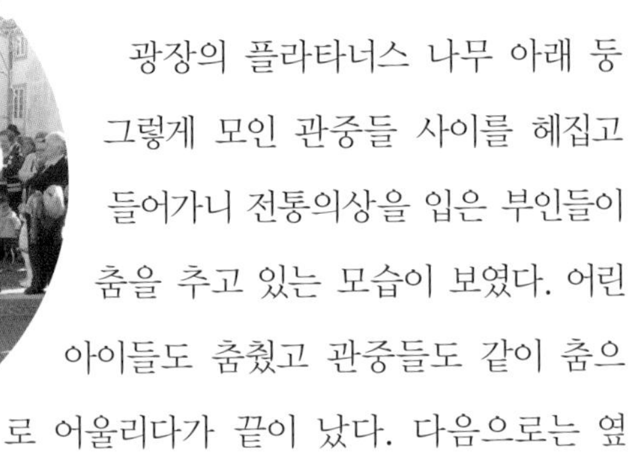

광장의 플라타너스 나무 아래 둥그렇게 모인 관중들 사이를 헤집고 들어가니 전통의상을 입은 부인들이 춤을 추고 있는 모습이 보였다. 어린 아이들도 춤췄고 관중들도 같이 춤으로 어울리다가 끝이 났다. 다음으로는 옆에서 다른 팀의 꼭두각시 인형 춤이 시작되었다. 바이올린같이 생긴 악기 밑에 회전시킬 수 있는 막대를 달고 한쪽에는 건반악기처럼 누름판이 있어, 마치 태엽을 감으면 노래가 나오는 오르골처럼 손잡이를 돌리면 음악이 연주 되었다.

그리고 끈을 이용해서 인형을 무릎에 연결해 움직이면, 바로 앞에 있는 남자 여자 인형이 춤을 추었다. 어떻게 허리와 다리를 돌려야 저렇게 인형들이 정확한 동작으로 두 발의 앞발과 뒷발을 동시에 찍을 수 있는지 신기하고 궁금했다.

또 한 명은 우리나라 오래전 시골 장터에서 볼 수 있는 풍각쟁이처럼 발을 움직이면 울리는 북을 등에 지고, 백파이프를 불며 가슴에는 캐스터네츠를 붙이고 박자를 맞추었다. 또 빨래판같이 생긴 것에 우툴두툴한 양철을 붙이고 긁거나 혹은 양 손가락에 철로 된 골무를 끼고 두들겨 박자를 맞추고 부착된 작은 심벌즈로 리듬을 맞추었다. 완전히 작은 오케스트라이며, 작은 발레단의 모습이었다. 음악이 끝없이 연주되었다.

까미노를 걸으면 이런 스페인의 전통 예술을 만나는 즐거움도 느낄 수 있다. 이날 또한 정말 행복한 하루를 보냈다.

Buen Camino

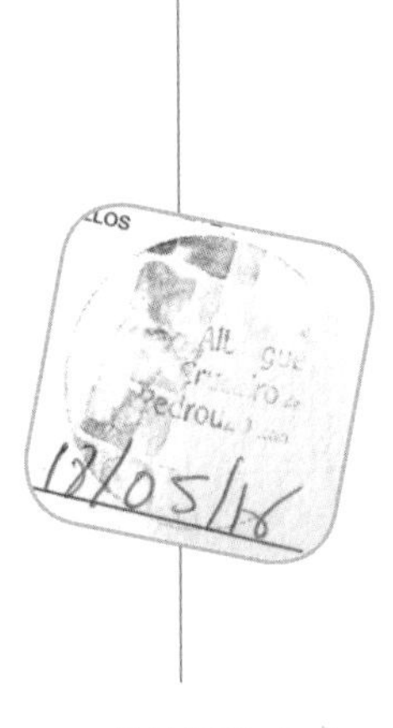

아르주아 ➡ 오 페드로우조

Day 30 Arzua

새벽 3시 반경부터 눈이 떠졌다. 무엇인가 내 안에서 찌르르 울리는 듯했다.

가슴이 떨린다.

긴장된다.

이제 목적지가 지척이다.

떠나오기 전, 그리고 까미노를 시작한 뒤부터 내가 늘 걱정했던 일들이 점점 사라져갔고 그토록 바라던 소망을 곧 달성할 수 있다는 생각에 가슴이 두근거렸다.

내 버킷리스트 중 하나인 산티아고 까미노 걷기가 이제 거의 완성 단계에 이르렀다. 여정의 끝이 나를 기다리고 있었다. 내가 아무리 원한다 할지라도, 충분한 시간과 건강 그리고 기본 체력이 따라주지 않으면 절대 마칠 수 없는 일이었다. 특히 4년 전에 암수술을 하고 몇십 년간 혈압약을 먹고 있는 내 신체에 이상이 없어야 했고, 안전에도 절대적으로 신경 써야 했다. 또한 내 앞에 다가올 모든 상황을 긍정적으로 받아들이는 마음가짐까지 필요한 일이었다. 심지어 이렇게 단단히 마음을 먹더라도, 어떤 변수가 복병처럼 숨어 있을지 몰랐다. 그렇게 어려운 일을 해내고, 5년 전부터 꿈꾸어 왔던 간절한 소망을 이룰 차례가 다가왔다. 오로지 나의 의지로 시작했던 이 여정이 감사와 은혜 그리고 축복으로 마무리되어 가고 있었다.

국내에서 트레킹을 할 때는 며칠만 걸어도 양발에 물집이 생겨서 고생했는데, 까미노에서는 정말 신기하게도 초기에 아주 작은 물집이 두 번 정도 생긴 이후 더 이상 생기지 않았다. 또 그 흔한 콧물감기 한 번 안 걸리고 건강하게 다녔으니, 베드버그를 포함해 그간 우려했던 문제들이 내 몸으로 한꺼번에 몰려온다 해도 나를 막을 수는 없었다.

그동안 내게 있어 외국인들과의 만남은 직장생활 동안 일 관련

으로 만났던 일이 대부분이었다. 모든 말을 신경을 써서 듣고, 기록하고 경영진에 보고하여야만 하는 책임을 가지고 우리 회사가 주도하는 방향으로 대화를 이끌어 가는 것이 전제조건인 만남이었는데, 이제는 그런 만남은 먼 얘기가 되었다. 이번 여행 기간에는 모든 외국인과 서로 추억을 이야기하고, 배려하고, 용기를 주는 정말 즐거운 대화만 나누었다. 오래전에 배웠던 스페인어 몇 마디가 여행에 많이 도움이 되었고 불과 몇 마디만으로도 누구에게나 친밀하게 다가갈 수 있었다. 스페인어를 잘하지 못한다고 어느 누구도 핀잔을 주지 않았고, 오히려 더듬거리며 잘하지 못하는 것이 더 매력으로 느껴졌다. 이 모든 만남과 사람들을 떠올리면 정말 하루하루가 소중하고 보람찼다는 생각이 든다.

오늘도 역시 안에서 잠긴 알베르게 대문을 내가 열었다. 높은 고지에 있는 아르주아를 빠져나오니 바로 하산길이었고 곧 넓은 숲길이 이어졌다. 이곳은 특히, 숲 속에 있는 집들의 대문과 담장이 보랏빛 꽃이 예쁜 등나무로 장식되어 있어 아름다웠다.

야생의 나무들이 거칠게 자라는 숲을 오래 걸었다. 숲길을 불도

저가 지나가며 길을 낸 듯 길은 평탄하고 반듯했으며, 더 큰 숲은 마치 기차가 일직선으로 지나가며 길을 만든 듯 커다란 터널이 하나 뚫려 있었다. 사진으로는 그 느낌이 전부 표현될 수 없는 아름다운 길을 걷는 일이 너무나 좋았다. 이미 밀 농사가 끝난 지역은 갈색 낟가리들이 땅에 누웠고 골을 따라 잘 정리되어 있었다. 스페인은 기본적으로 농업 국가이다. 비옥한 땅에 밀밭과 올리브나무, 포도나무, 유채꽃이 전국 국토의 대부분을 차지한다. 그렇다고 우리 나라처럼 사람 손이 많이 가는 논농사나 밭농사와는 다르다. 이들은 경작하는 땅이 넓어도 거의 모두 기계영농을 하고 있다. 한 번도 여자들이 밭에 나와 있는 것을 한번도 못 보았고 농부가 밭에 기계 없이 들어가는 것 또한 보지 못했다. 그러나 이들에게 농업보다 더 큰 수입은 관광수입일 것이다.

앞쪽으로는 커다란 수로가 있는 다리가 보였다. 넓은 공간이지만 아직 그 수로 혹은 도로 같은 길에 무엇이 만들어지지는 않았다. 그걸 보며 까미노 순례자들을 위해 이 다리를 미리 건설했다는 걸 알 수 있었다.

길가 목장에 풀은 없고 모두 벌건 흙뿐인데 그 위에 얼룩소들이 앉아 있었다. 왜 그런 걸까? 혹시 흙을 이용한 소들의 방역 작업일까? 숲길을 걸으며 수없이 많은 상수리 열매의 뚜껑을 보았지만, 그 알맹이들은 전혀 찾지 못했다. 다 어디로 간 것일까? 수확한 것일까? 아니면 다람쥐? 다람쥐는 까미노 초기에 보고 이제껏 보지 못했다. 풀리지 않은 수수께끼들의 연속이었다.

큰 도시가 가까워져서인지 우람한 숲의 나무들이 규칙적으로 잘 어우러져 있었다. 마치 병정들이 오와 열을 맞추어 서 있는 것처럼 나무들이 같은 굵기와 같은 높이로 자라고 있었다. 이런 숲길을 걷고 있으면 만병이 자연 치유될 것 같은 느낌이 들었다. 사람이 자연을 만들어 나가는 게 아니라, 사람이 자연에 어우러져 살아야 한다는 사실은 언제나 드는 생각이다. 하지만 이런 생각들도 멋진 풍경들을 보면 잊게 된다. 균일한 잔디밭과 넓은 초원. 까미노를 걸으면서 이제까지 본 골프장은 하나밖에 없었다. 거의 농부들이 사는 곳이라 골프 치는 인구가 없는 것인가?

이정표 위에 놓여진 등산화의 옆 부분에 이끼가 끼어 있는 걸 보았다. 신발은 튼튼한 가죽이었고 바닥 상태도 좋았다. 이제 남은 길에서 이런 등산화를 신을 필요가 없으니 무게를 줄이기 위해 벗어 올려놓은 것 같았다. 이번 여행에서 나도 등산화의 효과를 많이 본 것 같다. 까미노의 성공여부는 신발에 달려 있다고 해도 과언이 아니다.

숲길을 나오니 바로 농기계 전시장이 있는 도로가 보였다. 그리고 터널 앞 화살표가 두 방향을 가리키고 있었다. 하나는 직진, 또 하나는 터널 밑으로 가는 방향. 모두 정식 까미노 이정표였다. 아마 도로를 두고 이쪽 편이나 저쪽 편으로 걸어도 목적지는 같은 것 같았다. 나는 직진 길을 택했다. 그 길에 어떤 이가 개 한 마리를 데리고 자기가 쓴 책을 놓고 팔고 있었다.

지나는 길에 본 펜션의 이름이 산티아고를 주제로 한 할리우드 영화 제목 'The Way'였다. 그렇다, 이곳은 길 위다. 그동안 길에서 만났던 많은 이들이 "까미노에 한국 사람들이 왜 이렇게 많은지"에 대해 물어왔었다. 나는 "이전에 파울로 코엘료가 쓴 책 '순례자'가 한국에서 베스트셀러였고 한국인들은 이제 남이 알선해주는 단체 유럽여행이나 관광지만 찾아다니는 배낭여행보다는 자신이 직접 찾아 나서는 체험 여행을 좋아하기 때문이다"라고 대답했다. 또한 많은 나라를 여행해본 내 생각에 따르면 우리나라 경제 수준에서 일반적으로 나타나는 현상이라고 대답하기도 했다.

고개를 들어도 끝이 보이지 않는 메타세콰이어가 울창한 숲이었다. 사진을 찍어 보니 인간이 한없이 작게 느껴졌다. 그 길은 언젠가 방문했던 보성 차밭 들어가기 전에 지나는 울창한 숲길 같았다.

오늘의 여정이 끝나가고 있었다. GPS 상으로는 지금 내가 있는 곳이 페드로우조인데, 이때까지도 숲길이 계속 이어졌다. 왼편으로 집들이 몇 채 보이기에 혹시나 해서 간판들을 보니 페드로우조가 맞았다. 먼저 알베르게를 찾아야 했다. 이제 막 문을 열기 시작하는 몇 군데를 기웃거리다가 까미노 어플에 첫 번째로 나와 있는 최신식 알베르게를 찾아 체크인했다. 그리고 그간 많은 날을 같이 걸었던 한국인 청년들에게 마지막 인사 메시지를 보냈다.

'그동안 즐거웠고 자네들보다 이틀의 거리나 앞서 온 나는 내일

산티아고 도착 예정이니 즐거운 시간 보내길 바랍니다.'

곧이어 온 답장을 보니 놀랍게도 지금 자신들도 곧 페드로우조에 도착하며, 마침 내가 있는 알베르게를 예약해뒀다고 해왔다. 이렇게 반가울 수가 없었다.

그들은 레온에서 하루 더 쉬었기 때문에 쉼 없이 걸어온 나와 2일 정도 차이가 났었는데, 하루에 40km씩 걷기를 두 번이나 해서 나와 일정이 같아진 것이었다. 그날 저녁 식사는 맛있는 반찬거리를 마련하여 우리 모두의 산티아고 입성을 축하하는 마지막 만찬의 시간을 즐겼다. 한 청년이 고추장 없이도 맛있는 닭볶음탕 요리를 했고 나는 축하하는 의미로 와인과 맥주를 모두에게 제공했다.

그들의 모습을 다시 보니, 모두 정말 놀라운 의지력을 갖고 있다는 생각이 들었다. 처음에 걷기 힘들어하던 전주 아가씨도 이젠 늠름하게 걷고, 다리가 아파서 두 코스를 건너뛰었던 뉴욕대 청년도 이젠 튼튼한 다리를 자랑하고, 근육통 방지를 위해 늘 알록달록한 테이프를 길게 붙였던 아가씨도 이젠 테이프를 모두 떼고 다녔으며 평소 조금 늦게 출발하지만 활발하고 힘차게 걷던 아가씨도 여전했다. 그리고 4명의 인원 외에 한 명이 더 붙어 있었다. 한국 단체 여행객으로 어머니를 따라서 왔던 아들이 단체에서 떨어져 나와 이들과 함께 걷기 시작했던 것이고, 그간 껄끄러웠던 어른들의 시선을 의식하지 않아도 되어서 좋았다고 했다.

그날 저녁 우리는 그간 겪은 이야기와, 달라진 우리의 모습 이야기를 나누며 한껏 즐거워했고, 내일에 대한 설렘으로 고무되었다.

Buen Camino

오 페드로우조 ➡ 산티아고 데 콤포스텔라

Day 31 O pedrouzo

31일간의 여정, 그 마지막 날이다.

나는 매일 저녁 태블릿 PC에 몇 천 년 전부터 내려온 까미노의 역사와 정보가 담긴 파일을 보며 그다음 날 걷는 코스에 대해 공부했고, 길에서 지나치는 성당과 각종 유물에 대한 어느 정도의 상식도 미리 숙지해 두었다.

그리고 이제 마지막 날의 첫걸음을 내딛기 위해 혼자 문을 나섰다. 지난 30일간 많은 밤을 같이 보내고 먹고 또 함께 웃고 즐기던 동료 순례자들이 아직 잠들어 있는 시간이었다. 오 페드로우조는 까미노에서 조금 떨어진 곳에 있기에 어제 순례를 마친 곳으로 다시 가야 했다. 나처럼 그곳으로 향하는 단체 여행객 무리가 보였고, 나도 그 일행인 양 함께 어둠 속으로 스며들어 갔다.

스페인 여행객들의 느린 걸음을 벗어나 혼자 앞서 나가 아름드리나무들과 한 몸이 되었다. 그런 나를 길가의 길고양이가 물끄러미 바라보고 있었다. 추운지 움직이지도 않고 쪼그린 채였다.

'안녕, 고양이들아. 네 친구들의 사진도 참 많이 찍었다. 내가 너의 모습을 영원히 인터넷 속에 간직해두마.'

1시간가량을 걸어 아메날 마을로 들어가는 도로 밑 터널을 지나니 바로 카페가 보였다. 그곳에서 다시 페기 일행을 만났다. 영화 러브어페어의 여자 주인공과 남자 주인공인 워렌 비티처럼 '우리도 마지막 순간에 다시 만나는구나' 생각했다. 그러나 그건 나만의 생각이다. 나는 늘 상상 속에 산다.

지도상으로는 페드로우조에서부터 계속 내리막길로 되어 있었는데 아마 중간의 오르막 내리막을 촘촘하게 표현하기 불편해서 그렇게 그려 놓았던 건지 길을 걷기 쉽지 않았다. 그래도 흙길의 표면은 부드러운 흙이었고 비가 갠 지 며칠 지난 뒤라 물웅덩이 같은 것은 보이지 않았다. 또 숲 속을 나오면 그림 같은 초원이 펼쳐지고 초등학교 어린아이들이 도화지 위에 뚝딱 그리는 성냥갑같이 아담한 집들이 초원 한구석에 자리 잡고 있었다.

아침에 또 무릎에서 통증이 느껴져 천천히 걸었는데, 한 30분 정도 지나니 그 통증이 사라졌다. 아무래도 산티아고를 마치고 피니스테레까지 걷기로 한 생각은 재고해 보아야 할 것 같았다. 마지막 날 역시 끝이 보이지 않는 아름드리나무들 사이를 걸었다. 유칼립투스 나무의 껍질이 온통 벗겨지고 밑동에만 간신히 껍질이 남아 있었다. 타잔이 나무 위에 올라가서 껍질을 잡고 내려와 벗겨진 것처럼 기둥이 말끔했고, 밑동만 잘라내면 손질 없이도 큰 건물의 재목으로 쓸 수 있을 만큼 반듯했다.

오래된 이정표에 누군가 한글로 '사랑은 언제나 목마르다'라고 쓴 것을 보고 나에겐 언제나 까미노가 목마를 것 같은 예감이 들었다. 어느 모녀인 듯한 순례자가 늘 작은 돌멩이를 손에 가지고 있다가 이정표 위에 하나씩 올려놓았다. 아마 간절한 소망을 표현하는 것이리라.

비행기 이착륙소리가 들리는 공항 옆을 지나갔다. 문득 오늘 아침부터 이정표의 거리표시가 사라진 것을 알았다. 이제는 다 왔으니 신경 쓰지 말라는 뜻인가? 공항 끝쯤에 아주 오래된 듯한 비석에 순례자의 모습이 음각되어 있었다. 얼핏 봐도 몇백 년은 그 자리에 있었던 것 같았다.

단기 여행자들도 많이 보이기 시작했고, 그들을 실어 나르는 대형버스도 가끔 스쳐 지나갔다. 대부분 나이가 많아 보였다. 정말 저 나이에 걸을 수 있을까 하는 외모를 가진 사람도 천천히 언덕을 올랐다. 라바꼬야 마을에서는 스페인 사람들의 평소 아침의 모습을 볼 수 있었다. 통학버스가 마을로 들어 오고, 할아버지가 손자의 손을 잡고 함께 학교에 가고, 선생님들은 교문 앞에서 학생들을 기다리고 있었다.

마을 성당과 공동묘지가 같이 있는 곳에 성당 문이 열려 있어 들어가 보니 아침 미사가 열리고 있었다. 신도들이 불과 몇 명밖에 없었다. 대부분이 나이든 사람이었고 그들은 대개 신부님하고 거리가 먼 뒷좌석에 앉아 있었다. 교회에서 뒷좌석에 앉으려는 심리가 우리네 모습하고 참 비슷해보여 나 혼자 웃었다. 성당을 지나 다시 언덕길로 가는 길가에 누군가 바위를 파내고 그 안에 작은 성모마리아상을 모셔 놓았다. 그리고 그곳에서 작은 불빛이 비치게 해놓아 누구나 한번은 시선을 주고 갔다.

긴 긴 오르막길. 비가 조금씩 내리는 것 같았다. 어떤 이는 미리 우비를 입었는데 나는 모자가 있으니 문제가 없을 것 같아 그냥 맞으면서 걸었다. 이 비가 은혜의 비라고 생각하니 불편하다는 생각이 들지 않았다. 이제는 더 이상의 오름도 없을 것이다. 페기가 빠른 걸음으로 앞서가고 거대한 기차가 달려가는 것처럼 모두 한 방향을 향해 편한 걸음으로 걷고 있었다.

산 마르코까지 이어지는 긴 평지 길에서 빗방울이 조금씩 굵어졌지만 개의치 않았다. 넓은 마을의 주택가를 한참 지나니 그 끝에 몬테 델 고조를 알리는 커다란 현판이 있었다. 날씨가 좋으면 이곳에서 산티아고 대성당이 보이기에, 순례자들이 다른 이들보다 먼저 몬테 델 고조에 올라가기 위해 뛰어간다는데 이날은 안개가 짙어 사람들이 기념사진만 찍고 내려가기 바빴다.

이제 내려가기만 하면 되는 길이었다.

넓은 고속도로 위의 나무 육교를 지나 언덕 아래로 내려가니 그곳에 대형 순례자 기념탑이 있었다. 그리고 산티아고 데 콤포스텔라라고 쓴 빨간 글씨를 보자마자 눈물이 왈칵 흘러내렸다.

하나님 제가 여기 왔습니다.

야고보의 길을 따라 왔습니다.

천년동안 이 길을 지켰던 순례자들의 길을 따라 왔습니다.

지금까지 아무 탈 없이 지켜주신 하나님 정말 감사합니다.

지금 이 글을 쓰면서도 눈물이 글썽거려진다.

지나가는 사람들에게 사진을 찍어 달라 해서 사진 속의 내 모습을 보았다. 두 달 동안 머리를 깎지 못해 등산모 사이로 삐죽 나온 머리, 그 사이 살이 빠져 뾰족해진 턱에 덥수룩한 흰 수염과 누렇게 변한 흰 바지, 녹색의 신발은 먼지로 인해 회색이 되어 있었다. 빨간 배낭을 멘 내 모습이 초라해보였지만 환하게 웃는 표정이었다.

이곳부터 대성당이 있는 곳까지 가기 위해서는 거의 한 시간을 걸어야 했다. 산티아고 사람들은 배낭을 멘 순례자들에게 더는 아무 관심도 없었다. 한 달 동안 눈만 마주치면 인사를 해 주었던 동네 사람들은 다 어디로 갔는지, 모두 지극히 일상적인 모습으로 스쳐 지나갔다. 순례자 숫자보다 멋지게 옷을 입은 도시 사람들이 더 많았고, 사람들은 배낭이 아닌 서류가방이나 핸드백을 들고 있었다. 도심은 여느 대도시의 모습과 다름없었고 나는 그저 바닥에 표시된 가리비 마크만 보고 걸을 뿐이었다. 한국말로 알베르게를 소개 하는 광고판을 지나 현대적인 도시의 모습이 사라질 즈음에 커다란 중세시대의 건물이 보였다.

대성당에 가까이 온 듯 어디선가 백파이프가 소리가 들렸다. 커다란 문 안에서 들리는 음악 소리를 들으며 진행하니 광장에 사람들이 모여 있었다. 가슴이 뭉클했다. 그러나 이미 감동을 며칠 동안 혼자 발산했기에 눈물이 터지지는 않았다. 광장에 모여 있던 낯익은 외국인들이 모두 나를 보더니 달려와서 나를 안아 주었다. 나도 그들을 한 명 한 명 안아 주었다. 미국인 칼슨, 이탈리아인들, 독일 사람들, 국적은 모르지만 낯이 익은 순례자들도 모두 내게 축하의 인사를 전했다. 우리는 서로 얼싸안고 정말 수고했다며 등을 두들겨 주었다.

다 같이 성당 배경으로 사진을 찍고나서 혹시 대성당에서 하는 정오 미사에 참석할 수 있냐고 물어보았더니, 배낭을 메고 들어갈 수 없어서 한참 떨어진 곳에 배낭을 맡기고 와야 한다는 답변을 들었다. 어쩔 수 없이 미사 보는 것을 포기하고 완주 증명서를 받으러 갔는데, 길게 늘어선 순례자의 행렬에서 아는 얼굴들이 많이 보였다. 모두 반갑게 다시 인사했다. 완주증명서는 기본적인 무료 증명서 외에도 크레덴샬의 스탬프를 확인해서 걸었던 거리를 표시해주는 유료 증명서를 작성해준다.

오늘 저녁에 지내기로 한 한국인 민박집에서 내 배낭을 픽업해줄 예정이라 근처 버거킹을 찾아갔다. 그곳에서 낯익은 한국 사람의 얼굴이 보였다. 미국 청년들이 마을 청소 봉사를 하던 곳에서 만났던 한국인 교포였다. 아마 코스를 건너뛴 듯 어제 도착해서 한인 민박집에서 하루 묵었다며, 차를 타고 피니스테레로 관광을 가기 위해 민박집 주인을 만날 거라고 했다. 그리고는 시간이 되니 떠났다.

나는 배낭을 전해 주고 다시 광장으로 나왔다. 늦게 도착한 반가운 얼굴들을 만나 다시 긴 포옹을 나누었다. 이름도 몰랐다. 단지 많은 날을 앞서거니 뒤서거니 스쳐 가며 걸었을 뿐이다. 우린 모두 '부엔 까미노'라는 이름을 가진 순례자다.

한국 청년들이 도착해서 완주증을 받으러 간다기에 장소를 알려주고 너무 자랑스럽고 대단한 일을 했다며 또 다시 한 명 한 명을 안아 주었다. 많은 순례자가 대성당 광장을 들어오면서 눈물을 흘리고 있었고 보수 중인 대성당을 바라보면서 우는 남자들도 있었다. 어떤 이들은 광장 바닥에 누워 일어설 줄을 몰랐고 어떤 이들은 광장 건너편 건물 기둥 앞 돌 바닥에 앉아 하염없이 성당을 바라보았다. 갑자기 어디선가 귀에 익은 '히브리 노예들의 합창' 노랫소리가 들렸다. 단체로 온 순례객들이 성당 앞에서 둥그렇게 손을 잡고 합창을 하고 있었다. 그들의 배낭을 보니 풀코스 완주는 아닌 것 같았다. 끝난 뒤에 이스라엘에서 왔느냐 물어보았더니 이탈리아인이라고 했다.

순례자들은 성당 앞 광장을 서성이면서 다른 순례자들과 넘치는 감동과 정담을 나누었다. 점점 내가 아는 사람들이 어디론가 사라졌고, 나는 광장 옆의 긴 돌의자에 앉아 무심하게 성당을 바라보며 시간을 보냈다.

'산티아고 까미노 완주증' 은 내게 정말 귀한 선물이다. 마치 군대 전역증과 같이 매우 값지다. 나는 당시 군 생활을 하지 않아도 되는 신체 상황이었지만, 집에 돌아가도 좋다는 군의관에게 복무하겠다는 뜻을 전하고 무사히 병장으로 전역했다. 남의 뜻에 움직여야 하는 군대 생활도 매일 매일 힘들었지만, 그 생활만큼이나 어려운 이곳 까미노를 걷는 날들은 확실히 달랐다. 내게 있어 하루하루가 천국이었다. 단언컨대 까미노 걷기 만큼 세상을 아름답게 바라보며 살아볼 수 있는 일은 없을 것 같다.

내게 또 그 천국에 갈 기회가 주어진다면 마다치 않을 것이다.

이제 정말 마지막 인사다.

Buen Camino

"Omnes dies et noctes quasi sub una sollempnitate continuato gaudio ad Domini et apostoli decus ibi excoluntur. Valve eiusdem basilice minime clauduntur die noctuque, et nullatenus nox in ea fas est haberi atra (cf. Ap 21, 25), quia candelarum et cereorum splendida luce ut meridies fulget". (Códice Calixtino)

Códice Calixtino

El Cabildo de la Santa Apostólica Metropolitana Catedral de Santiago de Compostela sita en la región occidental de las Españas, a todos los que vieren esta carta de certificación de visita, hace saber que: D. Kyung Seok Chung

ha visitado la Basilica donde desde tiempo inmemoral los cristianos veneran el cuerpo del Beato Apóstol Santiago.

Con tal ocasión, el Cabildo llevado del deber de caridad, al tiempo que con gozo le dan al peregrino el saludo del Señor y piden -por intercesión del Apóstol- que el Padre se digne concederle las riquezas espirituales de la peregrinación, asi como los bienes materiales. Bendigalo Santiago y sea bendito.

Dada en Compostela, Meta del Camino de Santiago, el dia 19 del mes Mayo del año 2016

Despues de realizar 775 Kms Desde S. Jean P. port
donde comenzó el 19 de 04 del 2016 por la ruta del Camino Francés

SIGILLUM CAPITULI BEATI JACOBI COMPOSTELLANI

Segundo Pérez

Segundo L. Pérez López
Dean de la SAMI Catedral de Santiago

●○ 에필로그

까미노 완주 다음 날 아침, 나는 산티아고에서 이베리아 반도의 끝에 있는 도시인 피니스테레행 버스에 올랐다. 예수님이 부활 후 제자들에게 '땅끝까지 가서 내 복음을 전하라'고 말씀하신 곳. 바로 그 땅끝에 가기 위해서였다. 버스에 타고 있는 사람들의 옷차림을 보니 모두 까미노를 완주한 사람들로 보였고, 홀로 온 사람도 있었고 커플들도 있었다. 혼자인 나도 행복한데 저 사람들은 지금 이 순간이 얼마나 달콤할까?

야고보가 2000년 전에 보았던 바다가 내 앞에 있었다. 나 같은 사람들이 부둣가에 한가롭게 앉아 있거나 백사장에 누워 멍하니 바다를 바라보았다. 텅 빈 머릿속에 아무것도 채워 넣고 싶지 않았다. 주위에 까미노에서 보았던 포르투갈 여자가 있어 다음 목적이 무엇이냐고 물어보니 아무것도 없다며 그냥 무조건 쉬고 싶다 말해왔다.

대서양이 보이는 땅끝에 커다란 등대가 있고, 어디선가 백파이프 소리가 들리는 그 앞에 세워진 낯익은 까미노 이정표에는 0.0km의 거리표시가 새겨져 있었다. 이곳이 모든 길의 시작이자, 끝이었다. 나는 가파른 절벽의 바위 끝에 오랫동안 앉아 지난 몇 년간 까미노를 준비했던 날들과 까미노 길을 걸었던 한 달을 되새겨 보았다.

까미노에는 누구나 커다란 이유를 가지고 온다. 종교적인 이유, 체험적인 이유, 치유의 이유. 무엇인가 떨쳐 버리고 싶고, 자신의 미래를 계획하고, 새로움을 시작하고 싶을 때. 나 자신의 한계를 테스트하거나 나 자신을 찾기 위해 그리고 나 자신을 버리기 위해 이 힘든 길을 찾는다.

나는 '나만의 산티아고'를 경험하고 싶었다. 그렇기에 나 혼자 가기로 결심했던 것이다. 오로지 나 혼자 느끼고, 눈앞에 것들에 대해 나 혼자 감동받고 싶었다. 누구의 제지를 받거나, 누군가를 도와주거나 혹은 도움을 받는 일도 진정한 순례의 마음을 가지기 위해서는 거추장스러운 것이라고 생각했다. 그냥 내 페이스대로 걷고 싶었고 야고보의 마음을 알고 싶었다. 그러나 나는 그 마음을 알기에는 믿음이 부족하다고 생각했다. 남들보다 조금 편해지고 싶은 마음도 늘 가득했다. 그런 내 부족함을 남들에게 보여주기는 싫었다. 나 스스로 알아서 하고, 남들로부터 통제받고 싶지 않았다.

지난 31일 동안 그렇게 지냈다. 그러나 나 자신을 엄격하게 통제했고, 이 순례 여행에 지장이 없도록 내 건강을 신경 쓰고 안전사고에 대비했으며 다른 사람과의 마찰이 생기지 않도록 조심했다. 후반부에 사람들이 많이 몰리니까 조금 좋은 알베르게를 사용하고 싶어 사치를 부린 것 외에는 다른 사람들처럼 똑같은 조건에서 생활하고 먹고 마셨다.

한 번 더 만나고 싶었던 이탈리아의 이지노 씨, 나만 보면 환하게 웃던 펠라리아 변호사와 그 일행들, 포르투갈의 파르코, 리투아니아의 알도나와 루타, 독일의 헨리와 헨리 엄마, 바르셀로나 아저씨들, 사아군에서 헤어진 스페인의 줄리아, 나보고 늘 '안녕' 하며 인사하던 독일 사람들, 같이 찬양을 부르던 미국인 동갑내기, 또 나보다 먼저 불과 몇 분 전 떠난 듯한 미국의 페기와 친구, 많은 날을 오가며 만난 한국인 청년들 그리고 나를 챙겨준 부부들까지. 길에서 만난 이들 모두를 가슴에 담아 두기로 했다. 다시 나 혼자 일 뿐이다.

나는 지난 60년을 나름대로 보람 있게 보낸 내 삶에 주는 가장 의미 있는 선물로, 온 마음과 정성을 다해 노력하고 내 육체와 정신을 다 소모해야만 하는 산티아고 순례길을 택했다. 그리고 끝내 산티아고 까미노 순례길의 어려움, 외로움, 마음의 갈등과 많은 신체의 고통을 이겨낸 나의 모습을 보았다. 나는 길을 걸어가며 순례자들에게 늘 이렇게 이야기했다.

"산티아고 까미노 걷기는 평생 직장생활을 열심히 해온 내가 나 자신에게 주는 아주 특별한 선물이고, 또한 이제껏 살아오면서 가장 행복한 시간이었으며, 내가 본 가장 아름다운 낙원이었다고……."

부 록

산티아고의 공식 명칭은 Camino de Santiago Compostela 즉, 산티아고의 콤포스텔라로 가는 길이라는 뜻이다. 성경에서 전하는 바에 의하면 예수님이 부활하신 후 40일 동안 살아 계실 때 제자들에게 "너희가 가서 온 유대와 사마리아와 땅끝까지 가서 내 증인이 되리라"(사도행전 1장 8절)라고 하신 후 예수님의 12제자 중 어부였던 야고보가 당시 예루살렘에서 땅끝으로 생각되는 스페인의 대서양 끝까지 가서 전도를 하고 예루살렘에 되돌아왔지만 헤롯왕에게 참수를 당하여 순교하였다. 이에 다른 제자들이 야고보의 유해를 거두어 배편으로 스페인에 도착해 어느 곳에선가 비밀리에 묻어 놓았고 이를 700년이 지난 즈음에 어느 목동이 별빛이 어느 언덕을 비추는 것을 우연히 발견했다. 그곳을 파헤쳐서 유해를 발견했고, 검증을 해 본 뒤 야고보의 유해임을 확인하였다.

산티아고는 성 야고보를 성 디에고로 부르는 스페인식 이름이며 콤포스텔라는 별이 빛나는 언덕을 뜻하는 스페인어의 조합이다. 혹은 별빛이 비춰주는 무덤으로 불리기도 한다.

산티아고 까미노의 상징인 조개껍데기, 가리비는 야고보의 유해를 발견했을 때 주위에 많은 가리비가 발견되었다는 설과 조개껍데기의 무늬가 한 곳으로 모여지기에 모든 길이 산티아고로 향하는 순례자를 나타낸다 해서 상징물로 가리비를 정했다는 설이 있다. 또 다른 순례의 상징은 표주박이고 야고보를 참수할 때 사용했다는 칼 모양의 십자가다.

그로부터 수없이 많은 그리스도교인이 이 길을 걷기 시작했으나 당시 이베리아반도의 지역은 이슬람교를 믿는 무어족들이 지배 하고 있었기에 수많은 순례자가 순례 중 죽임을 당해 십자군에서 템플 기사단을 파견하여 순례자를 보호하였고, 스페인 민족은 이슬람세력을 스페인 땅에서 축출하기 위한 레콩키스타 즉 국토회복운동을 벌인 끝에 15세기에 스페인은 완전히 이슬람 세력을 몰아내고 로만카톨릭 국가가 된다.

1189년 교황 알렉산더 3세가 예루살렘, 로마 그리고 산티아고 데 콤포스텔레라를 3대 성지로 선포하고 그곳을 순례하는 사람들에게 죄를 없애준다는 칙령을 발표하자 수많은 사람들이 이 길을 걷기 시작했다.

순례자들이 까미노를 걸으며 자연적으로 일정 거리마다 마을과 성당 그리고 수도원이 생기기 시작했고 그곳에서 마을 사람들이 순례자들의 숙식을 제공하고 병을 치료했다. 따라서 지금도 순례자 숙소인 알베르게에서 봉사하는 사람들을 오스피탈레로hospitalero라고 부른다. 현재 까미노의 알베르게는 당시 순례자들을 위하여 만든 숙소로서 때로는 피난처Refugee라고 부르기도 한다.

●○ 까미노의 코스

코스이름	출발지	도착지	거리 (km)
프랑스길 (Camino Francés)	생장 피에드 데 포르/프랑스	산티아고 /스페인	800
르퓌길 (Chemin du Puy)	르퓌 앙 블레/프랑스	생장 피에드 데 포르/프랑스	750
투르길 (Via Turonensis)	샤르트르/프랑스	지브랄타/프랑스	913
	파리/프랑스	지브랄타/프랑스	972
브르타뉴 순례길 (Chemins en Bretagne)	팽폴, 모를레, 생마티유/프랑스	바욘/프랑스	1000
북쪽 해안길 (Camino del Norte)	바욘/프랑스	산티아고/스페인	825
베즐레 순례길 (Via Lemonvicensis)	베즐레/프랑스	산티아고/스페인	900
아를 순례길 (Via Tolosana)	아를/프랑스	푸엔테 라 레이나/스페인	905
은의 길 (Via de la Plata)	세비야/스페인	산티아고/스페인	1000
피니스테레 길 (Camino Finisterre)	산티아고/스페인	피니스테레/스페인	90
포르투갈 길 (Portugues Way)	리스본/포르투갈	산티아고/스페인	610

주요 마을 이름	알베르게 숫자 (총수용인원, 명)	마을간 거리 (km)
St Jean Pied de Port	11 (228)	0
Roncesvallez	1 (183)	26.5
Espinal	2 (55)	6.4
Zubiri	5 (193)	15.3
Larrasona	3 (123)	5.3
Huarte	1 (60)	7.8
Pamplona	9 (270)	3.5
Puente La Reina	6 (288)	24.7
Estella	4 (312)	22.9
Ayegui	1 (70)	2.0
Los Argos	4 (182)	19.4
Tores Del Rio	3 (120)	7.5
Viana	3 (103)	11.3
Logrono	6 (286)	9.8
Navarrete	6 (166)	13.0
Najera	5 (130)	16.4
Azofra	1 (60)	6.4
St Domingo de la Calzada	2 (104)	14.9
Granon	3 (64)	7.0
Belorado	5 (246)	15.0

Villafranca Montes de Oca	2 (86)	11.8
San Juan de Ortega	2 (68)	12.6
Ages	3 (80)	3.7
Atapuerca	2 (54)	2.5
Burgos	3 (186)	21.2
Hornillos del Camino	3 (84)	20.5
Hontanas	4 (176)	10.6
Catrojeriz	5 (130)	9.1
Boadilla del Camino	4 (88)	20.2
Promista	4 (125)	6.2
Carrion del los Condes	4 (265)	19.8
Calzadilla de la Cueza	2 (114)	16.8
Terradillos de los Templarios	2 (101)	9.5
Sahagun	3 (126)	14.0
Bercianos del Camino	2 (64)	10.4
El Burgo Ranero	2 (56)	7.7
Religos	3 (95)	12.5
Mansilla de las Mulas	3 (126)	6.4
Villarente	1 (56)	5.7
Leon	8 (532)	12.8
Villar de Mazarite	3 (136)	18.1
San Martin del Camino	3 (204)	4.3
Hospital del Orbigo	4 (174)	7.4
Astorga	3 (281)	17.3
Murias de Rechivaldo	3 (69)	3.8
Ravanal del Camino	4 (180)	17.1
Foncebadon	6 (162)	5.5

El Acebo	4 (149)	11.0
Molinaseca	2 (92)	9.4
Ponferrada	2 (192)	8.0
Cacabelos	2 (100)	15.3
Villafranca del Bierzo	5 (297)	7.4
Pereje	1 (55)	5.8
Trabaldelo	4 (116)	5.2
Vega de Valcarce	3 (121)	3.4
La Faba	1 (66)	10.2
O Cebreiro	1 (104)	4.9
Fonfria	1 (86)	16.9
Triacastela	6 (210)	9.2
Sarria	19 (774)	18.5
Vilei	2 (80)	3.9
Barbadelo	6 (146)	1.0
Portomarin	11 (422)	11.8
Gonzar	2 (62)	7.9
Palas de Rei	8 (485)	17.0
Melide	8 (433)	14.9
Boende	2 (60)	5.2
Rebadiso da Baixo	3 (154)	6.0
Arzua	9 (445)	3.0
Santa Irene	3 (75)	13.8
O pedrouzo	7(426)	3.5
Monte do Gozo	1 (400)	15.5
Santiago de Compostela	14 (821)	4.5

1. 산티아고 프랑스 길 출발점인 생장 찾아가기

- 항공 루트

파리, 비아릿츠(프랑스), 바르셀로나, 마드리드(스페인)

- 기차 이동

파리에서 TGV로 바욘역 도착 후 RER로 생장 도착

파리에서 저가항공으로 비아렛츠까지 이동 후 버스로 바욘 도착 후 RER로 생장 도착

바르셀로나에서 Renfe로 팜플로나 역 도착 후 ALSA 버스로 생장 도착

마드리드 아토차역에서 Renfe로 팜플로나 도착 후 ALSA 버스로 생장 도착

- 버스 이동

바르셀로나 북터미널에서 ALSA 버스 또는 Monbus로 팜플로나 터미널 도착 후 생장 가는 ALSA 버스 환승

터미널 이용하여 팜플로나 이동 후 생장 가는 버스 환승

2. 준비물

- 등산화 - 발목을 덮는 방수용 중등산화 추천, 반드시 미리 신어보고 길들여야 함
- 실내화 - 알베르게 실내용 및 시내 산책용 가벼운 운동화 혹은 편한 신발
- 장비류 - 등산스틱, 우비, 헤드랜턴, 허리 색, 선글라스, 스마트폰(유심칩, 추가메모리, 충전기), 수통
- 배낭 - 40리터~45리터 용(총 배낭 무게는 7~8kg 정도가 적당함, 걸을 때는 물과 간식 무게로 더 무거워짐)
- 침낭 - 여름용(15도 기준), 겨울용(10도 기준)
- 베드버그용 준비물 - 비오킬, 가려운데 바르는 파스
- 의류 (계절에 따라 다름) - 패딩, 방풍점퍼, 등산용 긴팔, 셔츠 2벌, 잠옷바지, 반팔 셔츠 1벌, 내의 2벌, 양말 3켤레, 등산모, 손수건, 장갑 등
- 약품류 - 바세린(물집방지용), 물집방지 패드, 항생제, 감기약, 맨소레담, 선크림, 무릎 보호대, 일회용 밴드, 개인 복용약
- 알베르게 사용물품 - 비누, 스포츠타월, 스킨 크림, 손톱 깎이, 옷핀, 실바늘, 지퍼백, 노끈
- ID카드 외 - 여권 및 여권사본, 여권사진 2장, 메모용 노트, 필기도구 등
- 도구류 - 금속칼 대신 케이크 커팅 용 플라스틱 칼과 포크, 헤드 랜턴
- 카메라 - 일반 DSLR 카메라는 무게 때문에 장애요인이 될 우려가 있으니 소형 카메라나 스마트폰 카메라 이용
- 충전기 - 알베르게 내에서는 늘 전기 콘센트가 부족하니 USB 포트가 2개 있는 충전기 필요

3. 일반적인 소요 비용

- 항공료 - 항공사 별 예약시기마다 다르므로 상황에 맞게 예약 필요
- 유럽 내 이동 - TGV, Renfe 및 버스 비용
- 경비 - 숙박 및 식비 포함 하루 25~35 유로
- 현금 보관 - 주로 10유로나 20유로 정도의 잔돈으로 보유하고 너무 많은 현금 지참 금지, 단위가 큰돈은 받기를 거부함, 큰 도시에서 현금 인출 가능, 현금은 항상 몸에 지참, 대부분 알베르게는 신용카드 사용 불가

4. 알베르게 이용 시 주의사항

- 입장 시간 - 통상 오후 1시~2시로 도착이 늦으면 알베르게 침상 부족 예상됨
- 퇴장 시간 - 통상 오전 8시에 문을 닫음으로 하루 더 체류 시 미리 협의 필요
- 알베르게 상황 파악 - 도착 예정인 마을에 알베르게 수용인원 미리 확인
- 예약 - 성수기에는 반드시 예약이 필요함(연락처는 순례자 사무실에서 제공)
- 침구류 - 베게는 제공하나 모포는 거의 제공하지 않으므로 침낭 필요(공립) 숙소 비용 지불하기 전에 침실 및 침구 상태 확인 요청 가능
- 침대 시트 - 1회용으로 제공하는 곳이 많음, 모포 청결 상태 파악
- 화장실/샤워장 - 보통 남녀 구분이 되어 있으나 그렇지 않은 곳도 많음
- 매너 - 이른 새벽 출발 시, 타인의 수면 방해되지 않도록 짐은 밖으로 나와 정리

- 와이파이 - 설치되어 있어도 사무실과 방 사이의 거리가 있어 사용이 불편한 곳많음. 없는 곳에서는 인근 카페에 가서 이용해야 함
- 택배 서비스 - 출발 전에 다음 마을에 묵을 알베르게를 확인해서 미리 예약 필요 알베르게 사정상 접수가 안 되어도 짐은 안내데스크에서 회수 가능
- 베드버그 - 체크인할 때 미리 침대 및 침구의 청결상태 확인. 필요 시 비오킬 조치
- 주방 확인 - 주방이 없는 알베르게 경우 매식으로 인해 저녁 식사비가 많이 소비됨
- 주방 매너 - 가능한 빨리 요리를 마치고 다른 사람에게 인계, 식기 설거지 필수
- 식수 - 보통 일반 수돗물 음용. 통상 급수대에 음용 가능 표시됨
- 분실물 - 체크 아웃할 때 항상 침대 주변에 개인 소지품 확인 필요. 만약 개인 물건을 놓고 왔을 경우, 오전 8시 이후에는 알베르게로 들어갈 수 없으므로 회수 불가능
- 세탁물 - 세탁 후 건조기 이용이 어려울 경우 스포츠타월로 물기제거 후 자연 건조
- 개인 물품 - 코골이에 예민한 사람은 귀마개 필요, 대개 일찍 소등하므로 안대는 불필요
- 신분증 - 순례자 크레덴샬이 있어야 알베르게 이용 가능

5. 식사 및 간식

- 아침 - 대개 출발 후 첫 번째로 만나는 마을 카페를 이용. 간혹 알베르게에서 제공함
- 점심 - 트레킹 도중 만나는 마을의 카페에서 이용
- 저녁 - 알베르게가 있는 마을의 레스토랑이나 알베르게 내에서 취사함. 대개 파스타를 만들거나 육류 이용, 마트에서 초간단 전자레인지 용 음식재료 구입. 주방에 남아 있는 음식물 재료 및 양념 미리 확인 후 추가재료만 구입 필요. 대개 식당을 겸업하는 알베르게는 주방이 없음
- 비상식량 - 빵이나 초콜릿 그리고 과일들을 상시 준비
- 순례자 메뉴 - 식당이나 알베르게에서 이용함. 대개 10유로 정도
- 와인 가격 - 상당히 저렴하며 좋은 와인도 한 병에 2~4 유로 정도

6. 걸을 때 유의사항

- 갈림길에서는 반드시 이정표 확인. 이정표가 없다면 왔던 길 되돌아가서 확인 필요
- 마을에는 대개 알베르게로 가는 까미노 이정표가 많으므로 주의
- 안드로이드 까미노 어플Camino Pilgrim로 GPS 이용 가능함
- 가능한 오후 3시 전에는 걷기를 끝내야 알베르게 투숙과 개인 정비시간 용이함
- 여력이 있어 더 걷고 싶을 때 반드시 다음 마을까지 거리와 알베르게 상황을 미리 확인 필요

- 체력 분배를 위해 항상 다음 마을까지의 거리와 고도를 파악하고 있어야 함
- 차도를 걸을 때는 차의 주행을 볼 수 있는 왼편 이용
- 비가 많이 와 진흙길이나 숲길 걷기에 불편할 경우 바이크 길 추천
- 화장실은 숙소나 마을 카페에서만 이용 가능함 (카페 화장실은 공용이 아님)
- 순례자를 마주칠 때나 지나칠 때 반드시 "부엔 까미노" 하며 웃으면서 인사
- 쓰레기는 반드시 정해진 시설 이용
- 젖은 빨래를 배낭에 매달고 다니는 순례자 많음
- 제일 잃어버리기 쉬운 스마트폰, 충전기, 등산스틱과 모자 등을 항상 유의
- 길을 걷다가 너무 힘들 경우 카페에 부탁해서 콜택시로 숙소로 이동 가능
- 대개 까미노는 안전한 편이나 여자 혼자 긴 숲을 지날 때는 가능한 순례자와 같이 통과

7. 건강

- 감기로 인해 며칠 쉬는 경우가 있으므로 늘 몸을 따뜻하게 유지
- 물집방지를 위한 각종 예방책을 미리 확인
- 가능한 2시간 마다 신발과 양말을 벗고 습기를 말려서 물집방지
- 물집방지를 위해 바셀린을 매일 아침 출발 전 발바닥과 발가락 사이에 골고루 바름
- 물집 치료 시 덧나지 않게 소독약과 철저한 드레싱 필요
- 물집이 심할 경우 반드시 병원 방문, 대개 순례자는 무상 치료
- 숙소에서 다리 마사지 습관 필요
- 선크림으로 피부 보호하고 가능한 긴 소매 셔츠 착용
- 몸에 이상이 있을 경우 알베르게에 도움 청해 인근 병원 방문. 순례자 혜택 많음

8. 나만의 준비물

- 까미노에서 제일 중요한 것은 매일 크레덴샬에 받아야 하는 스탬프, 즉 '세요'이다. 나는 잉크가 필요없는 만능스탬프를 만들어 알베르게의 방명록과 까미노에서 만난 친구들의 크레덴샬에 찍어주었다. 혹은 별도의 용지에 스탬프를 찍어 명함처럼나누어 주어 많은 관심을 받고 서로 친구가 될 수 있었다.

camino to Remember
Book - 길을 걸으면 내가 보인다
http://withdream.co.kr
burana@hanmail.net
Nickname : CARMINA 까르미나
Peregrino
Buen Camino

산티아고 까미노 파라다이스

초판 1쇄 인쇄 2016년 11월 16일 / 초판 1쇄 발행 2016년 11월 25일
지은이 정경석
발행인 유준원
고문 강원국
편집 장선아, 이지현
디자인 이완수
발행처 도서출판 더클
공급처 명문사
출판신고 제2014-000053호
주소 서울시 금천구 디지털로9길 65 백상스타타워 1차 511호
전화 (02) 6213-3222
팩스 (02) 6111-3919
전자우편 thecleceo@naver.com
홈페이지 www.theclebooks.com

ISBN 979-11-86920-12-1 (03920)

이 도서의 국립중앙도서관 출판예정도서목록(CIP)은 서지정보유통지원시스템 홈페이지(http://seoji.nl.go.kr)와 국가자료공동목록시스템(http://www.nl.go.kr/kolisnet)에서 이용하실 수 있습니다. (CIP제어번호 : 2016027628)